TOP
VENDEUR

Les Éditions Transcontinental inc.
1253, rue de Condé
Montréal (Québec)
H3B 4X9
Tél. :   (514) 933-2225
         (888) 933-9884

Données de catalogage avant publication (Canada)
Elfiky, Ibrahim (1950-   )
Top vendeur
1001 trucs pour augmenter vos ventes
2e édition
Publié à l'origine dans la collection Les Affaires, 1993
ISBN 2-89472-038-6
1. Vente. 2. Vente - Aspect psychologique. 3. Relations
avec la clientèle. I. Titre.
HF5439.5.E43   1997   658.85   C97-940449-5

Correction :
Louise Dufour

Mise en pages :
Interscript

Conception de la page couverture :
Studio Andrée Robillard

Dépôt légal : 2e trimestre 1997
Bibliothèque nationale du Québec
Bibliothèque nationale du Canada
ISBN 2-89472-038-6

TOP VENDEUR

IBRAHIM ELFIKY

1001 trucs
pour augmenter vos ventes
2e édition

Les Éditions
TRANSCONTINENTAL inc.

*Ce livre est dédié à l'art merveilleux de la vente,
aux top vendeurs et à toutes les personnes
qui m'ont appris cet art, à mon épouse Amal
et à mes jumelles, Nancy et Nermine, à Dieu,
qui m'a donné la motivation, l'énergie,
la maîtrise d'ouvrir les portes de mon potentiel,
et à moi-même.*

■ Ibrahim Elfiky

Auteur du best-seller *Top manager* et des livres de la collection Succès sans frontières (dont les deux premiers titres, *Les 10 clés de la réussite* et *Le pouvoir mental illimité*, seront lancés au début de 1997), Ibrahim Elfiky est fondateur et président de trois compagnies : Cheops Internationale Séminaires inc., Le Développement Personnel Horace inc. et Sales Masters Press. Il détient plus de 20 diplômes dans plusieurs disciplines et trois des plus hautes distinctions lui ont été décernées dans le domaine de la vente, du marketing et la gestion hôtelière.

Docteur en métaphysique de la University of Metaphysics of Los Angeles, enseignant certifié en programmation neurolinguistique de l'American Board of NLP, il est maître praticien en hypnose éricksonienne du New York Training Insitute for NLP, maître certifié en mémoire de l'American Memory Institute et maître certifié en comportement humain de l'American Hotel & Motel Association (AHMA). En 1990, le American Home Study Council et l'AHMA lui ont décerné le Prix mondial pour les études à domicile.

Ibrahim Elfiky a débuté dans le marché du travail comme plongeur dans un petit restaurant et est devenu directeur général de plusieurs hôtels prestigieux à Montréal. Il est maintenant reconnu comme auteur et comme conférencer international — il a d'ailleurs formé des gens provenant de 300 des 500 compagnies inscrites à la prestigieuse liste du magazine *Fortune*. On compte parmi sa clientèle des gens d'American Express, d'IBM, d'AT&T, d'Amoco Oil, de Pepsi-Cola, de la Banque de Montréal et de Hilton International. Il a maintes fois été invité à des émissions de télévision au réseau TVA, à TQS et à CFCF. Il a également été reconnu en page couverture du magazine québécois *PME* comme l'un des plus grands experts dans le domaine de la vente au Québec.

Ibrahim Elfiky a formé des milliers de personnes à travers le monde. Il est, en outre, champion de ping-pong et détient une ceinture noire en kung-fu « Kuksol ».

Tournez maintenant la page et lisez ce que les médias et les gens disent d'Ibrahim Elfiky.

Ce que les médias disent d'Ibrahim Elfiky

CFCF

« Ibrahim Elfiky est actuellement l'un des plus grands experts de l'industrie de la vente. »

Jay Rubinstein
Rubinstein at Large

TVA

« Je trouve le séminaire exceptionnel, trés motivant, riche en idées, une affaire en or. »

Carole Martin

TQS

« Ibrahim Elfiky est un vrai top vendeur. »

Sandra Claveau

CJAB (radio)

« Finalement un séminaire amusant, stimulant et très complet. »

Francine Martel

The Gazette

« Les séminaires d'Ibrahim Elfiky sont excellents, très dynamiques et répondent à la réalité d'aujourd'hui. »

Christian Homsy

Journal *Le Lac St-Jean*

« Ibrahim Elfiky est très dynamique. Il vous mènera au sommet de la pyramide de la vente. »

Alain Tremblay

Magazine *L'actualité*

« Ibrahim Elfiky propose plus qu'un art de vendre. Il propose un art de vivre. »

Michel Jobin

Quotidien *La Presse*

« Les séminaires d'Ibrahim Elfiky sont remarquables en tous points. »

Gabriel Déziel

Ce que les gens disent d'Ibrahim Elfiky

« Le séminaire est excellent, unique. »

Sahar Ramy
American Express

« Le séminaire est l'expérience de toute une vie. Tout le monde devrait avoir l'occasion d'y assister. »

Rose Solazo
AT&T Canada

« Le séminaire est une bonne clé pour le succès. »

Colette Assaad
Bell Canada

« Le séminaire est excellent dans tous ses aspects. C'est une grande expérience pour améliorer notre vie. »

Claude Bergevin
La Banque de Montréal

« Le séminaire est tout à fait exceptionnel et grandement apprécié par tous les participants. »

M. El Bakry
Hilton International

« Je trouve que le séminaire est très représentatif de la vente de détail. C'est un excellent séminaire. »

André Dostie
Chrysler Canada

« Ce séminaire est très instructif, exceptionnel. »

Marcel Chénier
Pepsi-Cola

« Ce séminaire est un des meilleurs que j'aie jamais suivis. »

Hazem Abu-Dhalfa
IBM

Remerciements

Je désire remercier toutes ces personnes qui m'ont aidé à faire de *Top vendeur* le best-seller qu'il est devenu :

- mon épouse Amal Elfiky, qui a vécu chaque mot de ce livre avec moi ;
- mon assistante Pina De Fabrizio, pour son excellent travail et son dévouement ;
- Sylvain Bédard, des Éditions Transcontinental, pour son soutien au moment de la rédaction de mon livre ;
- Mona et Bob Forest, pour leur participation très appréciée ;
- Régis et Jeanine Nadeau, pour leur participation, et pour avoir cru en moi et en mes aptitudes ;
- Tony Di Fruscio et Anita Di Fruscio, pour leur encouragement ;
- Joseph Sidaros, pour sa présence et ses conseils ;
- Alain Laroche, pour son appui et son encouragement ;
- tous les participants de mes séminaires, de qui j'ai beaucoup appris ;
- et tous ces gens merveilleux dont le travail m'a inspiré, a changé ma vie, spécialement mon modèle de toute une vie, Dr Moustafa Mahmoud ; mon professeur préféré, Dr Robert Schuller ; les top vendeurs James Pickens et David Peoples ; Dr John Grinder et Dr Richard Bandler, les fondateurs de la science de la programmation neurolinguistique ; Dr Normand Vincent Peale et tous les grands philosophes, dont le travail a pavé ma voie vers la réussite ; le grand psychologue américain, Dr William James et, entre autres, Dr Taha Hussein, Confucius, Aristote, Socrate et Horace.

Ibrahim Elfiky

Table des matières

■ Introduction

LES 5 ATOUTS DE LA RÉUSSITE

Si la vente est si simple et s'il suffit de bien connaître le produit, de rencontrer beaucoup de gens et de les persuader d'acheter le produit, pourquoi les vendeurs ne sont-ils pas tous des vendeurs accomplis ? Pourquoi plus de 85 % des vendeurs abandonnent-ils après le premier, le deuxième, ou le troisième appel téléphonique, alors que 10 % à 15 % des vendeurs qui persistent obtiennent de bons résultats et engendrent des revenus impressionnants ?

Je vais partager avec vous les secrets de toute une vie, mes études, mes recherches pour vous fournir une « bible sur la vente » qui vous aidera à devenir un **top vendeur**, un grand « persuadeur » et un excellent communicateur. Pour réussir dans le domaine des ventes ou dans toute autre profession, selon mon expérience et mes recherches, vous aurez besoin de cinq atouts :

1. La motivation

Sans motivation, vous n'avez aucun désir d'accomplir quoi que ce soit. La motivation prend deux formes :

   a) *La motivation externe* : ce genre de motivation vient du monde extérieur. Vous pouvez être motivé par un conférencier dans un séminaire, par les médias, par un livre, par un article de journal, par un ami ou par un membre de votre famille. Le seul problème que pose la motivation externe, c'est qu'elle est de courte durée et s'efface avec le temps, car elle n'est pas solidement implantée.

b) *La motivation interne* : cette motivation vient de soi-même, ce qui la rend plus durable. Elle commence avec ce que l'on se dit. Ce langage vis-à-vis de soi crée vos croyances. Celles-ci vont créer vos attitudes, qui, elles, vont créer vos sentiments. Vos sentiments vont influencer votre façon d'agir et déterminer vos succès ou vos échecs. Voilà ce que j'appelle les composantes de la voie de l'excellence.

2. L'énergie

L'énergie est créée par votre motivation et votre passion, qu'elle soit mentale, physique ou émotionnelle. Si vous n'êtes pas assez motivé, vous engendrez peu d'énergie. Les personnes qui réussissent ont toutes les motivations nécessaires pour produire une énergie qui fait toute la différence entre elles et les autres.

3. Les compétences

Vous pouvez être très motivé, avoir beaucoup d'énergie, mais si vous n'avez pas les compétences requises, vous n'irez pas loin. Par exemple, dans un match de boxe, si le boxeur est très motivé et stimulé, s'il a assez d'énergie pour deux heures, mais qu'il n'a aucune compétence, il sera éliminé en quelques secondes. Les personnes qui réussissent connaissent leur métier à fond. Elles l'apprennent et le maîtrisent.

4. L'action

Vous êtes motivé, vous possédez beaucoup d'énergie et vous avez tout le savoir du monde, mais vous ne serez qu'une personne motivée, dynamique et parlant bien, si vous n'agissez pas. Vous serez imbattable si vous mettez tout cela à votre service.

5. Les attentes

Vous devenez ce que vous pensez. Si vous pensez échouer, vous échouerez ; vous deviendrez exactement l'image que vous avez de vous-même. Ceux qui ont réussi dans leur carrière s'attendaient à une réussite. Ils savent qu'ils vont réussir et tiennent leur succès pour acquis.

Ces cinq facteurs sont indispensables pour réussir. Un vendeur abandonnera rapidement sa carrière, même s'il n'en néglige qu'un seul.

En écrivant ce livre, mon but est de vous montrer les techniques de pointe dans le domaine de la vente, de vous doter de méthodes psychologiques puissantes et de vous présenter la méthode la plus efficace de persuasion et de communication, la programmation neuro-linguistique (PNL).

Vous apprendrez aussi que :

1. Les capacités mentales déterminent 90 % de votre réussite ou de votre échec.

2. Les capacités énergétiques vous procurent une grande quantité d'énergie au moment précis ou vous en avez besoin.

3. Vous pouvez augmenter votre mémoire de façon exceptionnelle : pouvoir vous rappeler sans effort n'importe quel nom ou chiffre.

4. Vous pouvez combiner les techniques de vente et de psychologie les plus puissantes. Par exemple, comment créer une relation immédiate, même avec les personnes les plus difficiles, grâce à une méthode simple :

   • Faire une analyse précise de la personnalité de vos clients, déceler leurs stratégies et les contourner à vos fins ;

   • Vaincre les objections à l'aide des sept règles d'or ;

- Conclure une vente même avec les 20 types d'objections présentées par les clients les plus difficiles ;
- Conclure une vente à l'aide des 20 méthodes les plus puissantes.

5. Vous pouvez faire travailler chaque client pour vous, après avoir conclu la vente, et élargir vos réseaux.

Ce livre est le résultat de plus de 20 ans d'expérience. J'ai étudié plus de 700 livres et écouté quelque 150 enregistrements dans le domaine du développement humain, de la gestion de la vente et du marketing. J'ai aussi assisté à 135 ateliers et séminaires. Pendant ce temps, ces méthodes m'ont permis de conclure plus de 9 000 ventes dans le marché corporatif et d'organiser plus de 3 000 réceptions en moins de 10 ans.

Lorsque vous utiliserez les méthodes décrites dans ce livre, vous atteindrez un top niveau non seulement dans votre vie professionnelle mais aussi dans votre vie personnelle.

Commençons notre voyage sur la voie du **top vendeur**.

PREMIÈRE PARTIE

LES CAPACITÉS MENTALES DU **TOP VENDEUR** ET LES SECRETS DE SA RÉUSSITE

Libérez la sagesse de votre corps …

Déployez les pouvoirs de votre esprit …

Surmontez votre résistance au changement …

Libérez-vous des habitudes négatives …

Semez les graines de votre réussite et de votre bonheur …

Et n'oubliez surtout pas d'aimer quelqu'un … VOUS !

Ibrahim Elfiky

LA VOIE DE L'EXCELLENCE

L'excellence ne demeure pas seule.
Elle attire des voisins.

Confucius

Vous êtes-vous jamais demandé pourquoi les choses ne se passent pas comme elles le devraient. Pourquoi seulement 5 % de tous les êtres humains atteignent la réussite tandis que 95 % ne le font pas. Quelle est la différence entre eux et nous ? Qu'est-ce qui empêche la majorité des gens d'obtenir les mêmes résultats ? Bien sûr, il y a une réponse à tout. Comme Confucius l'a remarqué : « Les hommes ont une nature semblable ; ce sont leurs habitudes qui les différencient. »

Analysant la réussite dans la vie, j'ai commencé mes recherches en étudiant la sociologie, la psychologie, les religions, le marketing, la gestion des ventes et la vente. Après avoir rencontré et interviewé des personnes qui ont réussi, j'ai découvert qu'ils avaient en commun les points suivants :

- Ils savent ce qu'ils veulent ;

- Ils ont un profond désir de réussir ;

- Ils croient en leur capacité ;

- Ils ont un plan d'action pour parvenir à leur but ;

- Ils ne croient pas à l'échec et le considèrent comme un revers de la vie ou une occasion d'apprendre ;

- Ils s'attendent à réussir et à recevoir ce qu'il y a de mieux dans la vie.

Les gens qui y parviennent savent que la réussite ne résulte pas du hasard mais proviennent de stratégies précises ; ils suivent une certaine voie qui leur assure le succès. Il s'agit de la voie de l'excellence. Elle est composée de six éléments.

LES 6 COMPOSANTES DE LA VOIE DE L'EXCELLENCE

LES 6 COMPOSANTES
DE LA VOIE DE L'EXCELLENCE

Commençons notre voyage sur la voie de l'excellence en définissant les six composantes qui déterminent notre réussite ou notre échec.

1. LE DISCOURS MENTAL :
LE TUEUR SILENCIEUX

> *Chaque décision que vous prenez*
> *est le résultat de ce que vous vous dites et*
> *de ce que vous pensez de vous-même.*
>
> Ibrahim Elfiky

Est-ce que vous vous parlez ? Vous le faites certainement. Nous le faisons tous. Nous sommes des êtres qui parlons et qui pensons tant et aussi longtemps que nous sommes vivants. Le discours mental est constitué par ce que nous nous disons verbalement ou mentalement. Les savants disent que presque 80 % de nos conversations silencieuses sont négatives et travaillent contre nous. Pensez-y, écoutez ce que vous vous dites et notez-le. Vous serez surpris du nombre de pensées négatives que vous programmez dans votre cerveau.

Des chercheurs dans le domaine médical ont découvert que la plupart des maladies sont d'origine psychologique ! Pouvez-vous l'imaginer ? Cela signifie que lorsque nous nous programmons négativement, nous nous rendons malade.

Quelle est la raison pour laquelle on se tient un discours mental négatif ? Deux sources de ce phénomène renforcent la programmation de notre esprit.

La première source est le monde extérieur... nos parents, nos amis, nos professeurs et les médias. Des chercheurs disent que nous recevons de 50 000 à 150 000 « non » et « ne fais pas ça ! » de la naissance à l'âge de 20 ans, par rapport à une centaine de « oui » seulement. Nous nous programmons involontairement d'une façon négative, car nous avons grandi de cette manière. Nous avons appris à suivre ce processus et nous le transmettons. Voici quelques exemples de programmations négatives : « Ne peux-tu rien faire correctement ? Ne touche pas à ça, tu vas le casser. Tu poses toujours des problèmes. » Nous croyons à ce que l'on nous dit et nous l'enregistrons dans notre cerveau.

Nous sommes nous-mêmes la deuxième source. Il y a quatre affirmations que nous nous répétons souvent :

1. JE NE PEUX PAS... JE NE SUIS PAS...

« Je ne peux pas faire ceci... Je n'arrive pas à me souvenir des noms... Je ne suis bon à rien... Je suis incapable de cesser de fumer... Je n'arrive pas à maigrir... »

Ce genre de discours mental est le plus dangereux parce qu'il affirme notre faiblesse.

2. J'AI BESOIN... MAIS...

« J'ai besoin d'arrêter de fumer, mais je n'y arrive pas... Je devrais essayer de me lever tôt, mais je ne peux pas... »

Ce type d'affirmation reconnaît l'existence de problèmes mais n'apporte aucune solution ; le « mais » crée un doute.

3. JE NE... JAMAIS...

« Je ne fume jamais... Je ne dépense jamais plus que je gagne... ». Ce genre de discours mental est la première affirmation positive, mais si les « jamais » sont véridiques, pourquoi changer ? Nous ne faisons aucune affirmation positive avec un « jamais » ; par exemple, « Je n'aide jamais les autres ».

4. JE SUIS…

« Je suis organisé… Je suis en bonne santé… Je me plais… ». Ce genre de dialogue est le plus efficace, car il envoie à votre subconscient un message disant ce que vous voulez être.

Vous pouvez écouter votre discours mental tout en le dirigeant. Naturellement, vous ne changerez pas du jour au lendemain, mais avec le temps, les résultats seront fantastiques.

Voici quelques exemples d'affirmations positives et de programmation. Lisez-les tous les jours ; vous pouvez les enregistrer sur cassette et les écouter aussi souvent que possible.

- Je suis un être spécial et unique ;
- Je suis très intelligent ;
- J'ai le contrôle de ma vie ;
- Je suis capable de résoudre les problèmes ;
- Je me souviens de tout ce que je veux me souvenir ;
- Je suis une bonne personne ;
- Je m'aime et je me plais comme je suis ;
- J'aime être responsable ;
- Je souris beaucoup et je suis sincère ;
- J'aime aider les autres ;
- Je crois en moi et en ma capacité de réussir ;
- Ma confiance en moi est sans limite.

Écrivez des exemples de vos affirmations positives sur de petites cartes. Mettez-les dans votre salle de bains, dans l'auto et dans votre bureau. Lisez-les en vous réveillant le matin et le soir avant de vous coucher. Écoutez votre cassette. Vous serez étonné des résultats que vous obtiendrez. Ceci vous amènera à la prochaine étape de votre voyage sur la voie de l'excellence et fera naître en vous vos croyances positives.

2. LA CROYANCE :
LA NAISSANCE DE LA MAÎTRISE DE SOI

*Croyez que la vie vaut
la peine d'être vécue et
votre croyance se concrétisera.*

William James

Ce que nous croyons et ce que nous voulons croire n'existe pas nécessairement. La croyance n'exige pas que quelque chose soit vrai. Il suffit seulement de croire que c'est vrai. La croyance c'est le consentement mental à une affirmation ou à un fait comme étant quelque chose de vrai ou de réel. Par conséquent, ce que nous croyons de nous affecte ce que nous faisons.

La croyance est la force créatrice de l'histoire. C'est la plus grande force qui dirige les êtres humains. Tous les prophètes ont voulu changer nos croyances et nous convertir à leurs croyances et leurs messages. Nos conceptions dérivent de nos croyances. Comme Jules César l'affirmait : « Les hommes croient volontairement à ce qu'ils veulent croire. »

Dans son livre *Psycho-Cybernetics*, le Dr Maxwell Maltz, a écrit que, après avoir subi des opérations de chirurgie plastique, certains patients pouvaient encore voir leur ancien nez et n'arrivaient pas à croire au changement ou à croire leur famille qui leur disait qu'ils avaient embelli. Le Dr Maltz a commencé à traiter psychologiquement ses patients avant l'opération et à leur faire voir dans leur subconscient leur nouvelle apparence ; le résultat fut un succès. Aussi le vieux dicton « J'y croirai si je le vois » devrait être « Je le verrai si j'y crois ». Si vous croyez à la réussite, vous serez capable de l'atteindre. Ce que nous nous disons et ce avec quoi nous programmons notre cerveau donneront naissance à nos croyances.

LES 6 TYPES DE CROYANCES

1. *Croyances dans les causes :*
   Qu'est-ce qui cause la peur, la réussite ou l'obésité ? Votre réponse est une affirmation de vos croyances.

2. *Croyances dans les significations :*
   Qu'est-ce que cela signifie quand on a un excédent de poids ou que l'on fume ? Par exemple, est-ce que cela signifie que l'on est faible ?

3. *Croyances sur l'identité :*
   Je ne suis pas un bon nageur ;
   Je ne suis pas organisé ;
   Nous croyons en ce que nous nous répétons.

4. *Croyances aux règles et à leurs conséquences :*
   Si ceci… alors cela ;
   Si j'avais plus de cheveux, je serais plus attirant ;
   (Ce type de croyance n'est qu'une opinion).

5. *Croyances sur les expériences passées :*
   Je l'ai déjà fait et j'ai échoué ;
   Votre expérience passée, qu'elle soit négative ou positive, va faire que vous allez y croire.

6. *Croyances sur les expériences futures :*
   Quand j'avais six ans, je jouais à un jeu où j'étais directeur d'un hôtel. Je me voyais déjà directeur d'un grand hôtel et plus tard je le suis devenu.

Walt Disney s'imagina construire un pays de rêve et il l'a fait. Croire que vous allez réussir et vous voir au sommet de la réussite vous aidera à atteindre vos buts.

Comment éliminer vos croyances négatives

Vous pouvez éliminer toute croyance négative qui vous limite et vous fait souffrir en ayant le désir de changer cet état de fait, en vous concentrant sur ce que vous pouvez faire, au lieu de ce que vous ne pouvez pas faire, et en utilisant les six règles suivantes :

1. *Identifiez vos croyances négatives :*
    Je suis petit, chauve, gros... Je ne peux pas arrêter de fumer ou perdre du poids.

2. *Écrivez les conséquences de cette croyance :*
    Fumer cause le cancer.

3. *Remplacez-la par la croyance positive désirée :*
    Je peux arrêter de fumer... Je ne fume plus.

4. *Écrivez les avantages d'être libre :*
    Je suis en bonne santé... Je fais des exercices et je rencontre plus de gens.

5. *Imaginez-vous au sommet de la réussite :*
    Je me vois faire plus, rencontrer plus de gens, avoir plus d'amis. Je me·vois en bonne santé et heureux.

6. *Se reconditionner :*
    Conservez votre motivation. Votre désir de changer et votre engagement vous feront commencer, mais c'est l'action qui vous mènera où vous le désirez.

Rappelez-vous que ce que vous vous dites crée vos croyances ; vos croyances vous mèneront à la prochaine étape de votre voyage sur la voie de l'excellence et de votre nouvelle attitude.

3. L'ATTITUDE : LA BASE DE L'EXCELLENCE

*Gardez un arbre vert
dans votre cœur
et peut-être que les oiseaux
s'y poseront en chantant.*

Proverbe chinois

E st-ce que les gens recherchent votre présence ? Est-ce que vous traitez les gens comme vous aimeriez être traité ? Est-ce que vous vous souciez des gens ? Est-ce que vous souriez facilement ? Est-ce que vous assumez la responsabilité de vos erreurs ? Vos réponses à ces questions détermineront votre attitude.

Qu'est-ce que l'attitude ? L'attitude est l'état d'esprit dans lequel nous vivons. C'est le point de vue selon lequel nous voyons la vie. C'est une façon de penser, d'agir ou de ressentir. C'est la clé du bonheur ou du malheur. Nous créons notre attitude. Et le monde dans lequel nous vivons n'est qu'un reflet de cette attitude. Notre attitude envers les gens et envers la vie déterminera leur attitude envers nous, donc rien ne changera dans ce monde tant que nous ne changerons pas notre attitude. Par contre, si nous développons et créons notre propre attitude, nous pouvons aussi la changer.

L'ATTITUDE SAINE

Nous savons à présent que notre attitude est le résultat de nos croyances et que nos croyances résultent de notre programmation intérieure. Pour réaliser nos buts, nous devons nous exercer constamment à développer une attitude saine.

LES 7 CLÉS D'UNE ATTITUDE SAINE

1. Attentes et reconnaissance

Ceux qui réussissent s'attendent au meilleur résultat dans toutes les situations. Quand vous vous attendez au meilleur, vous obtenez le meilleur. Vous deviendrez ce que vous voulez et ce à quoi vous vous attendez. Soyez reconnaissant de ce que vous avez : vous êtes vivant, en bonne santé, heureux et vous faites partie de cette magnifique planète Terre.

2. Évitez le syndrome du « Je »

La compagnie de téléphone de New York a fait une étude du mot le plus utilisé dans les conversations. Lequel selon vous ? Vous avez raison ! Le mot « Je… je… je… » a été utilisé 3 990 fois au cours de 500 conversations téléphoniques. Alors, si vous voulez que les gens se moquent de vous quand vous avez le dos tourné, dites souvent « Je… je… » et parlez de vous-même tout le temps. Chaque fois que vous utilisez le mot « Je », utilisez-le sagement et ne soyez pas pris dans le syndrome du « Je ».

3. La magie du sourire

Selon un proverbe chinois : « Un homme qui ne sourit pas ne devrait pas ouvrir une boutique. » Commencez votre journée avec un sourire et saluez les gens avec un sourire sincère. Souriez quand vous écoutez ou parlez. Souriez, mettez de côté vos problèmes. Vous découvrirez que le monde vous retournera votre sourire. Si vous n'avez pas envie de sourire, forcez-vous et vous n'en serez que plus heureux. Un sourire ne coûte rien, mais il est magique.

4. Intéressez-vous aux autres

Tout ce que nous voulons, chaque dollar que nous gagnons vient des autres. Henry Ford a dit : « Le secret de la réussite vient de la capacité à percevoir le point de vue de l'autre personne et à voir les choses de son point de vue ainsi que du vôtre. » Écoutez attentivement les gens, intéressez-vous à eux et encouragez-les à parler d'eux-mêmes. Pour vous faire des amis vrais et sincères, intéressez-vous aux autres et ils s'intéresseront à vous.

5. Souvenez-vous de leur nom

Notre nom est le son le plus agréable à nos oreilles. Malheureusement, nous ne faisons pas toujours attention aux noms. S'adresser à une personne par son nom, c'est la clé d'une bonne communication. Quand on vous présente quelqu'un, faites attention et souvenez-vous de son nom.

6. Assumez la responsabilité de vos erreurs

Lorsque vous avez tort, admettez-le promptement avec sincérité et ne blâmez personne d'autre. Corrigez vos erreurs et tirez une leçon de votre expérience.

7. Apprenez à féliciter et évitez la critique

Selon William James, le père de la psychologie : « Le principe le plus profond de la nature humaine est le désir intense d'être apprécié. » Nous désirons tous nous sentir importants et appréciés. Félicitez les gens sans réserve. Montrez-leur que vous les appréciez et évitez la critique, car Socrate a dit : « Celui qui traite les gens avec gentillesse va loin. »

Y A-T-IL DE LA MAGIE DANS LE CHANGEMENT ?

La transformation magique est entre vos mains. Tout ce dont vous avez besoin, c'est d'un désir profond, d'un engagement sérieux et de passer à l'action. Les avantages sont énormes. Vous vous placerez parmi les premiers 5 %, continuerez votre voyage sur la voie de l'excellence avec une attitude saine et vous libérerez vos sentiments et vos émotions.

4. LES SENTIMENTS : LES COULEURS DE L'ARC-EN-CIEL

L'art d'être heureux
commence par le contrôle
de ses émotions.

Ibrahim Elfiky

Nos sentiments sont comme le temps ou les couleurs de l'arc-en-ciel. Ils changent souvent. Ils sont le conscient subjectif de notre état émotionnel. Vos sentiments envers quelque chose de particulier vont affecter votre comportement. Ce que vous ressentez envers votre travail, votre patron, vos amis, vous-même, votre santé ou même votre famille, que ce soit négatif ou positif, va influencer votre comportement et déterminer vos actions envers eux.

Avez-vous déjà fait quelque chose parce que vous aviez peur ? Comment vous sentiez-vous ? Une fois, j'ai vu quelqu'un qui montait un escalier de 625 marches parce qu'il avait peur des ascenseurs ! Croyez-vous que c'était l'ascenseur qui contrôlait sa peur ? Non. C'était ce qu'il ressentait face aux ascenseurs.

Richard Bandler, cofondateur de la programmation neurolinguistique affirme dans son livre *Change your Mind for Change* : « Certains pensent que de bons sentiments résultent de la réussite. C'est l'inverse, la réussite résulte des bons sentiments. »

Connaissez-vous quelqu'un qui a essayé de modifier ses sentiments en prenant de l'alcool, des drogues ou du tabac ? Ou peut-être en regardant la télévision ou en écoutant de la musique ? Je suis certain que oui. C'est très courant, mais le problème, c'est que les effets ne durent pas et quand ils sont passés, les anciens sentiments reviennent et ont empiré.

Mais qu'est ce qui fait que quelqu'un se sente joyeux, heureux, aimé, confiant un jour, et à plat, triste, seul, frustré et confus l'autre jour ? Il y a deux bonnes raisons. La première est la « représentation interne » de l'esprit et la seconde est la « physiologie » du corps. L'esprit et le corps sont liés. Quand vous en changez un, l'autre suit automatiquement. En voici le mécanisme :

LA « REPRÉSENTATION INTERNE » DU CERVEAU

La représentation interne commence avec ce que vous vous dites (le discours mental). Que ce soit négatif ou positif, cela va affecter vos sentiments. Si vous vous dites : « Je n'aime pas mon travail », vous allez sentir que vous ne l'aimez vraiment pas. Quelle que soit votre attitude intérieure, elle va affecter vos actions extérieures et votre performance. Comme l'a affirmé Abraham Lincoln : « La plupart des gens sont aussi heureux qu'ils décident de l'être. » Alors décidez d'être heureux, faites attention à ce que vous vous dites et vous maîtriserez vos sentiments.

LA « PHYSIOLOGIE » DU CORPS

a) L'expression du visage

En 1983, une faculté de médecine de San Francisco a déclaré que les expressions de notre visage changent très vite notre état émotionnel. Notre visage comporte 80 muscles et chacun d'eux est relié à une région de notre cerveau. Alors, quel que soit notre état émotionnel, il se réflète sur notre visage. Quand vous êtes en colère, vous froncez les sourcils ; quand vous êtes bouleversé, vous faites une grimace et quand vous êtes heureux, vous souriez. Alors, en souriant, vous changerez la façon dont vous vous sentez. Essayez ; vous n'avez rien à perdre et beaucoup à gagner.

b) Le corps

Comment décririez-vous une personne dépressive ? Quelqu'un qui penche la tête et courbe les épaules, qui respire faiblement, les yeux baissés, marche lentement et parle à voix basse. Maintenant, comment décririez-vous une personne forte et confiante ? Quelqu'un qui se tient droit, la tête et les épaules hautes, qui respire profondément, marche avec énergie et parle avec autorité. La manière dont vous vous déplacez, votre maintien et votre façon de respirer ont un effet direct sur votre cerveau et votre état émotionnel. Essayez. Baissez la tête, laissez tomber vos épaules, gardez les yeux baissés, inspirez rapidement, imaginez-vous dans une situation dépressive. Maintenant essayez de vous sentir bien comme ça ! Vous pouvez essayer, ça ne fonctionnera pas. Car le message du corps au cerveau représente l'échec. Mais si vous adoptez une attitude corporelle forte et stimulante, vous pourrez changer très vite vos sentiments.

LA FORMULE ULTIME

Voici ce que j'appelle la formule ultime pour changer vos sentiments et votre état émotionnel.

1. Engagez-vous fermement à changer.
2. Envoyez le bon message à votre cerveau, par exemple « Je me sens bien ».
3. Souriez chaleureusement.
4. Tenez-vous droit, respirez profondément de la poitrine.
5. Visualisez-vous à un moment où vous étiez heureux, fort et confiant.
6. Agissez toujours « comme si » vous vous sentiez bien.

Si vous vivez votre vie, pourquoi ne pas la vivre dans le bonheur ? La formule ultime vous permettra de contrôler votre esprit et votre corps et elle vous conduira à la prochaine étape de votre voyage sur la voie de l'excellence par un comportement sain et des actions positives.

5. LE COMPORTEMENT : LE SENTIER DE L'ACTION

*Nous devons agir envers nos amis
comme nous voudrions que nos amis
agissent envers nous.*

Aristote

Comment réagiriez-vous face à quelqu'un qui vous a pris votre meilleur client ? Que diriez-vous à un collègue qui a volé vos idées ? Comment agissez-vous quand vous vous mettez en colère ? Vos réponses détermineront votre comportement.

Le comportement est tout ce que nous faisons et disons à n'importe quel moment de notre vie. C'est l'élément qui a la plus grande influence pour déterminer notre succès ou notre échec. Si vous aimez un politicien en particulier, vous voterez probablement pour lui. Si vous aimez fumer, vous acheterez des cigarettes et les fumerez. Et si vous aimez votre travail, vous ferez de votre mieux pour garder votre poste.

Le comportement est ce que vous pouvez accepter mentalement. Il est influencé par le passé, le présent et l'avenir. Il est simplement la cause qui vous mènera où vous devez être et vers ce que vous gagnerez. C'est le moyen par lequel vous récolterez les fruits de vos idées. Les bons comportements entraînent de bons résultats. Un comportement moyen, satisfaisant ou médiocre entraîne des résultats moyens, satisfaisants ou médiocres.

LA RÉPONSE

Maintenant, vous savez déjà que le discours mental crée une croyance, que la croyance crée les attitudes, que les attitudes déterminent les sentiments et que les sentiments influencent votre comportement. Par conséquent, pour adopter un comportement sain, c'est par le discours mental que vous devez commencer.

Voici ce que vous devez faire pour changer votre comportement :

1. Faites attention à ce que vous vous dites ;
2. Changez vos croyances négatives en croyances positives ;
3. Conservez une attitude inébranlable ;
4. Contrôlez vos sentiments ;
5. Faites que vos actions travaillent pour vous et non contre vous.

Ceci peut être résumé par l'ancien proverbe tchèque : « Un grand homme transforme de grandes difficultés en petites difficultés et les petites en rien du tout. » Prêtez attention à ce que vous faites et changez ce qui doit être changé. Il vaut mieux changer à mi-chemin que de perdre tout. Souvenez-vous de la maxime chinoise : « La route de mille kilomètres commence par le premier pas. »

La voie de l'excellence commence par le discours mental. Soyez attentif, contrôlez-le et appréciez vos bons sentiments et la naissance de votre comportement sain. Et continuez vers la réussite.

6. LA RÉUSSITE :
LES FRUITS DE L'EXCELLENCE

*Si vous pouvez rêver
votre réussite, vous pouvez l'atteindre.*

Walt Disney

L a réussite commence par un rêve, suivi d'une décision d'agir. La réussite est l'étape finale sur la voie de l'excellence. La forme qu'elle prend varie d'une personne à l'autre. Pour un étudiant, c'est réussir à ses examens, pour un vendeur, c'est conclure chaque vente en s'assurant des relations durables et le renouvellement des affaires. Pour Walt Disney, c'était la réalisation du pays de ses rêves.

Quel est votre rêve ? Que signifie la réussite pour vous ? Ma définition, c'est savoir utiliser ses capacités et son potentiel pour obtenir les résultats que l'on désire dans tous les domaines de la vie, tels que les besoins spirituels, la situation financière, la santé ou les relations, afin d'aider les autres à accomplir ce qu'ils veulent.

Connaissez-vous quelqu'un qui est habile, plein d'énergie et qui sait vraiment ce qu'il veut, mais n'agit pas ? Qu'est-ce qui empêche les gens d'obtenir ce qu'ils veulent ? La réponse est : LA PEUR. La peur d'échouer, du rejet, de l'inconnu, de perdre sa santé ou même la peur de réussir. C'est toujours un rejet de soi. Comme Horace l'a dit : « Qui vit dans la peur ne sera jamais un homme libre. »

De toutes les émotions négatives, la peur est la plus destructive pour les êtres humains. C'est une illusion créée par nos propres pensées. Avez-vous déjà vu un film d'horreur qui vous a vraiment fait peur ? Qu'avez-vous fait quand vous êtes rentré chez vous ? Vous avez probablement regardé souvent derrière vous et peut-être même aviez-vous peur d'entrer dans la maison !

Quand j'ai dû faire mon premier appel de vente, cela m'a pris toute la journée pour trouver le courage de le faire, et quand je l'ai finalement fait, j'ai raccroché dès que mon client a dit « bonjour ». J'avais peur ! Puis, je me suis posé trois questions :

1. Quelle est la pire chose qui pourrait m'arriver ?
2. Qu'est-ce qui va probablement m'arriver ?
3. Quelle est la meilleure chose qui pourrait arriver ?

Je me suis demandé « Et si je réussis ? » Alors, j'ai fait mon appel et, à mon grand étonnement, ce n'était pas si mal. D'ailleurs, cette vente a été une de mes réussites ! Vous voyez, au fond de chaque peur, il y a la croyance « Je ne peux pas le faire ». Mais si vous pouviez le faire ? Auriez-vous encore peur ?

COMMENT ÉLIMINER LA PEUR

Nous ressentirons toujours la peur de temps à autre tant que nous vivrons et progresserons. À chaque étape, nous prenons des risques, mais nous ne sommes pas seuls à le faire. Tout le monde éprouve de la peur. Voici cinq façons d'éliminer la peur :

1. Devenez confiant en vos capacités et envers vous-même.
2. Sachez que la seule façon d'éliminer la peur, c'est de passer à travers.
3. Passez à travers la peur, c'est moins pénible que de vivre malheureux.
4. Évitez le syndrome du « Pourquoi », changez-le pour « Quoi » et « Comment ». Par exemple :
   • Comment est-ce que je peux conclure la vente ? Alors, votre esprit va chercher des solutions plutôt que des raisons.
   • Que puis-je faire pour réussir et comment ?
5. Prenez pour modèle ceux qui ont le mieux réussi dans votre domaine d'expertise. Trouvez comment ils ont réussi et suivez les mêmes étapes.

Rappelez-vous : pendant que vous continuez à avoir peur d'agir, il y a quelqu'un qui vit déjà votre rêve malgré sa peur. Alors, ne gaspillez pas une minute de votre vie à cause de la peur. Après tout, qu'est-ce que la vie sans risque ? La récompense est simplement la réussite.

LE POUVOIR DE LA MOTIVATION

*« Tout ce que vous faites est
le résultat de vos désirs. »*

Ibrahim Elfiky

Un jeune homme visite un sage chinois avec l'espoir que ce dernier l'aidera à découvrir le secret de la motivation. Le jeune homme demande : « Pouvez-vous me dire en quoi consiste le secret de la motivation ? » Le sage répond : « D'accord. Apporte-moi un pot rempli d'eau. » Le jeune homme, confus, rétorque : « Mais… monsieur le sage, je vous ai demandé en quoi consiste le secret de la motivation… » Le sage répète : « Apporte-moi un pot rempli d'eau et je vais te révéler le secret de la motivation. »

Le jeune homme acquiesce à la demande du sage et apporte un grand pot rempli d'eau qu'il place devant ce dernier. Le Chinois demande au jeune homme de baisser la tête, ce que fait celui-ci. Soudainement, le sage pousse la tête du jeune homme dans le pot d'eau avec l'intention d'immerger celle-ci complètement.

Durant les quelques premières secondes, le jeune ne bronche pas, pris par surprise. Puis, il se met à frétiller légèrement. Finalement, quand sa tête est complètement immergée et qu'il commence à manquer d'oxygène, il pousse violemment le pot au bout de ses bras et fait trébucher le sage dans le but de se libérer. Rouge de colère, il regarde le Chinois et s'écrie : « Mais vous êtes fou ? Vous voulez me tuer ou quoi ? » La voix calme, le sourire serein, le sage demande : « Qu'est-ce que vous avez appris de cette expérience ? » Le jeune homme, encore sous le choc, lance d'une voix forte : « Rien du tout ! »

Voulant le rassurer, le Chinois dit : « Mais oui, vous avez appris quelque chose. Pendant les quelques premières secondes, vous vouliez réussir, mais pas suffisamment ; c'est la raison pour laquelle vous n'avez pas agi. Quelques secondes plus tard, vous vouliez tout autant réussir, mais pas encore assez. En fait, vous avez agi, mais mollement. Finalement, le désir, le désir enflammé de vous sortir de cette situation vous a envahi des pieds à la tête. C'est à ce moment que votre réussite était assurée. »

Le sage chinois regarde le jeune homme droit dans les yeux. « Jeune homme, dit-il, le secret ultime de la motivation passe par le désir enflammé. »

Alors que désirez-vous le plus ?

Une nouvelle voiture ? Une nouvelle maison ? Un voyage à Hawaii ? Une relation avec quelqu'un que vous aimez depuis si longtemps ? Le succès dans le domaine de la vente ? Peu importe votre vœu. Si vous avez le désir enflammé de le réaliser, vous mettrez en application les trois lois mentales de succès et d'accomplissement et vous donnerez vie à votre rêve.

Voici ces trois lois mentales de succès et d'accomplissement.

La loi de concentration. Votre désir vous appelle à vous concentrer sur votre but ultime et la loi de concentration va activer la loi d'attraction. Vous allez attirer dans votre vie ce que *vous* voulez et finirez par bénéficier de la loi de récompense.

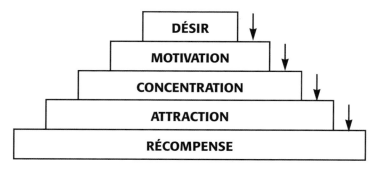

Laissez-moi vous donner un exemple.

À un moment de ma carrière, j'étais plongeur dans un grand hôtel. Puis, un jour, l'idée de devenir directeur d'un tel établissement commença à m'occuper l'esprit. C'est bien ça : j'avais le désir enflammé d'être le directeur d'un hôtel.

Mon désir m'a poussé à aller rencontrer le directeur général de l'hôtel où je travaillais afin de partager avec lui mon désir enflammé et de lui demander conseil. À la fin de notre rencontre, je lui ai confié que toute ma concentration était placée sur mon désir de devenir directeur général d'un hôtel. Je me suis mis à attirer dans ma vie des gens qui m'ont offert leurs conseils et leurs idées. Lorsque, en 1986, je devins directeur général d'un grand hôtel à Montréal, je me rendis compte à quel point mon désir enflammé m'avait poussé à réaliser mon rêve. Je fus récompensé par la réalisation de celui-ci.

Maintenant, voici comment vous pouvez utiliser le pouvoir de la motivation dans *votre* vie :

1. Achetez un cahier. Intitulez-le *Mon journal du succès*.

2. Inscrivez-y au moins 10 choses que vous souhaitez obtenir ou voir se réaliser.

3. Placez-les par ordre de priorité.

4. Commencez par le premier :

   a) Écrivez pourquoi vous voulez absolument l'avoir.

   b) Écrivez quoi d'autre dans votre vie sera amélioré quand vous aurez obtenu ce que vous désirez.

   c) Écrivez comment vous allez l'avoir et qui peut vous aider.

5. Agissez maintenant et concentrez-vous sur les résultats et non sur les activités ou sur les obstacles.

6. Répétez cette expérience avec motivation.

7. Inscrivez vos rêves ou « vos désirs » à l'endos de votre carte professionnelle. Lisez-les avant de vous endormir et quand vous vous réveillez. Conservez-les sur vous en tout temps.

À partir d'aujourd'hui, évitez les gens négatifs. N'attendez pas que quelqu'un ou quelque chose vous motive. Ne comptez que sur vous-même, activez les trois lois mentales qui mènent à votre bien-être. Gardez votre désir enflammé ; concentrez-vous sur les buts, *vos* buts, non pas sur les activités et les obstacles, et vous deviendrez bientôt la personne que vous souhaitiez devenir.

DEUXIÈME PARTIE

LES POUVOIRS ÉNERGÉTIQUES DU **TOP VENDEUR** : LE CARBURANT DE L'EXCELLENCE

*Vous pouvez créer l'énergie
qui transformera vos rêves
en réalité en connaissant
les secrets de vos pouvoirs.*

Ibrahim Elfiky

EN QUOI CONSISTE L'ÉNERGIE ?

Rien ne peut être créé de rien.

Lucrèce

L'énergie est la condition la plus importante pour arriver à nos buts. C'est tout ce que nous faisons ou ne faisons pas dans la vie, bon ou mauvais, négatif ou positif. Tous ceux qui réussissent ont un haut niveau d'énergie qui leur permet de donner le meilleur d'eux-mêmes et, inversement, ceux qui ne réussissent pas ont un faible taux d'énergie. L'énergie est la vie elle-même.

Quand vous êtes en colère, vous créez de l'énergie et une force négative. Votre visage rougit, votre respiration devient rapide et peu profonde. Vous vous concentrez sur votre colère et vous débordez d'énergie. Et quand vous avez peur de quelque chose qui menace votre vie, comme si vous étiez attaqué par un grand chien furieux, vous générez une énergie assez forte pour vous faire courir comme un athlète olympique. Quoi qu'il en soit, quand vous êtes agité à propos de quelque chose, par exemple, ouvrir un nouveau commerce ou rencontrer une personne aimée, vous engendrez une énergie positive.

Que vous vous sentiez au meilleur de vous-même ou inversement, l'énergie ne vous quitte pas. Mais d'où vient l'énergie ?

LES TYPES D'ÉNERGIE

Trois types d'énergie émanent de l'être humain :

1. L'énergie physique
2. L'énergie mentale
3. L'énergie émotionnelle

Commençons par comprendre comment nous engendrons une énergie forte et positive.

1. L'ÉNERGIE PHYSIQUE

La façon dont vous respirez, mangez, buvez et faites des exercices va déterminer votre énergie et votre performance.

a) Respirer

Dès la naissance, toutes les créatures savent respirer. Un être humain peut survivre une semaine sans nourriture, deux jours sans eau et seulement cinq minutes sans respirer. La respiration contrôle directement votre état mental, la qualité de votre énergie et les résultats qui proviennent de l'énergie que vous recevez. La respiration a lieu à tout moment, n'importe où et ne coûte rien. La seule chose que vous ayez à faire pour obtenir l'énergie dont vous avez besoin, c'est de respirer correctement. L'oxygène est le besoin physique le plus fondamental de l'être humain ; le manque d'oxygène peut causer de nombreux problèmes et maladies.

On distingue douze manières de respirer. Celle qui nous intéresse dans ce chapitre est la respiration énergétique. On la pratique ainsi :

1. Prenez une respiration profonde de l'abdomen ;

2. Inspirez en comptant jusqu'à quatre et retenez votre souffle en comptant jusqu'à quatre ;

3. Expirez en comptant jusqu'à deux, comme si vous éteigniez une chandelle, et retenez votre souffle en comptant jusqu'à quatre ;

4. Inspirez en comptant jusqu'à huit ; retenez votre souffle en comptant jusqu'à huit ;

5. Expirez en comptant jusqu'à deux et retenez votre souffle en comptant jusqu'à huit ;

6. Augmentez au fur et à mesure de vos capacités jusqu'à ce que vous atteigniez votre maximum ;

7. Répétez ce processus dix fois. Faites-le trois fois par jour.

En pratiquant la respiration énergétique, vous permettrez à une grande quantité d'oxygène de pénétrer dans votre corps, créant une forte énergie. Essayez : faites-le maintenant et bénéficiez de votre pouvoir énergétique.

b) Les habitudes alimentaires

Comment vous sentez-vous après avoir absorbé un gros repas ? Ce que vous mangez, la quantité d'aliments et le moment auquel vous mangez déterminent votre niveau d'énergie. Vos habitudes alimentaires vont aussi influencer la chimie de votre digestion et l'équilibre chimique de votre système nerveux.

Avez-vous déjà suivi un régime ? A-t-il donné des résultats ? Les médecins disent que la plupart des régimes ne donnent aucun résultat et que la personne reprendra tout le poids qu'elle a perdu en moins de deux ans, et peut-être moins !

L'énergie vient de l'oxygène et du glucose. L'oxygène nous est apporté par la respiration et le glucose par le sucre. Que se passe-t-il quand vous sautez le petit déjeuner ? Vous manquez de glucose et vos reins produisent du glucogène et l'envoient dans votre corps pour le transformer en glucose. Il en résulte un état de somnolence et un manque d'énergie. Un manque ou un surplus de glucose peuvent causer des problèmes. Quand vous prenez un gros repas, votre sang, votre corps et votre esprit sont « occupés » par le processus de digestion, occasionnant un faible niveau d'énergie. Il faut donc trouver un juste milieu.

Voici mes recommandations :

1. Vous devez connaître la base des éléments nutritifs de la nourriture : l'eau, les minéraux, les vitamines, les protéines, les matières grasses et les hydrates de carbone ;

2. Créez votre propre diète. Il n'existe pas de régime qui soit universel ;

3. Soyez attentif à ce que vous mangez ;

4. Variez votre nourriture à chaque repas ;

5. Évitez de prendre de gros repas ;

6. Mangez lentement pendant les repas ;

7. Assurez-vous que votre régime contienne suffisamment de glucose ;

8. Suivez le budget :

   - Manger plus et brûler moins   =   Profit « gras »

   - Manger moins et brûler plus   =   Déficit « maladie »

   - Manger et brûler autant   =   Budget équilibré

9. Mangez des fruits frais, des légumes et des salades. Ils sont excellents pour la santé, se digèrent lentement et font circuler le glucose pour une meilleure énergie mentale.

c) Boire de l'eau

Combien de verres d'eau buvez-vous chaque jour ? Savez-vous que votre corps contient 80 % d'eau ? Je connais des gens qui boivent moins d'un verre d'eau par jour et donnent de multiples raisons à cela.

Par exemple :

« Je n'ai pas le temps, je suis toujours sur la route. »

« Je n'aime pas le goût de l'eau. »

« Je ne veux pas noyer mon estomac en buvant sept verres d'eau par jour. »

« Pensez-vous que je n'ai rien d'autre à faire ? »

Ce sont de bonnes raisons mais le résultat reste le même : un faible niveau d'énergie, une indifférence totale aux besoins du corps pouvant causer de sérieux problèmes de santé. Si vous n'avez pas envie de boire de l'eau, vous pouvez utiliser d'autres méthodes. Voici ma recette :

1. Quand vous avez soif, étanchez-la complètement.

2. Si vous êtes au bureau, gardez un verre d'eau près de vous et buvez-le lentement.

3. Buvez des jus de fruits.

4. Mangez des salades avec vos repas.

5. Mangez des aliments et des légumes qui contiennent de l'eau.

En suivant ces simples conseils, vous obtiendrez l'eau et l'énergie nécessaires.

d) L'exercice

Faites-vous de l'exercice régulièrement ? Souvent ? Pendant combien de temps ? Avez-vous envie de prendre un gros repas après avoir fait une heure d'exercice ? Votre réponse déterminera votre niveau d'énergie. L'oxygène vient de la respiration et faire des exercices vous fera respirer profondément. Votre cœur pompera plus de sang, ce qui permettra à votre cerveau de recevoir plus d'énergie.

Une fois encore, j'ai entendu des gens trouver des excuses pour leur manque d'exercice :

« Je déteste courir. »

« Je n'ai pas le temps. »

« Je voyage beaucoup. »

« Je n'ai pas envie de faire de l'exercice. »

Toutes ces excuses sont bonnes, mais il en résulte un niveau d'énergie plus faible que voulu ou que nécessaire. Faire de l'exercice vous gardera mince et en bonne santé et vous permettra de rencontrer des gens et de vous amuser.

Voici mes suggestions :

1. Commencez votre journée en prenant 10 respirations profondes.

2. Faites des exercices d'étirement pendant 10 minutes.

3. Commencez lentement en faisant 10 redressements assis et 10 tractions (ou pompes).

4. Pliez les genoux 10 fois.

5. Marchez sur place.

6. Courez sur place.

Essayez et constatez par vous-même. Amusez-vous et intégrez ces exercices à votre journée.

2. L'ÉNERGIE MENTALE

Tout ce dont j'ai parlé dans le chapitre « La voie de l'excellence » mène à l'énergie mentale. Cela commence par la façon dont vous dialoguez avec vous-même, ce qui à son tour influence votre état mental et détermine votre niveau d'énergie. En disant : « Je ne veux pas » et « Je ne peux pas », vous créez une dépression et affaiblissez votre énergie. Changer pour : « Je veux » et « Je peux » va créer une exaltation et un niveau élevé d'énergie. Plus vous croyez pouvoir faire quelque chose, plus vous engendrerez de l'énergie.

Le régime mental

1. Parlez-vous positivement. Cela vous donnera la maîtrise de vos sentiments.

2. Évitez les gens négatifs. Ne laissez personne vous abattre.

3. Fréquentez des gens positifs. Ils vous stimuleront par leur réussite.

4. Ne vous comparez pas aux autres. Comparez-vous avec vous-même, vous gagnerez.

5. Fermez les portes du passé, pardonnez et oubliez. Intéressez-vous davantage au présent et à l'avenir.

6. Améliorez-vous constamment. Apprenez tout ce que vous pouvez dans votre domaine. La connaissance, c'est aussi la puissance.

7. Imaginez-vous en train de réussir, d'atteindre vos buts.

8. Persistez, soyez déterminé et patient.

Un corps dépourvu de tension entraîne un esprit dépourvu de tension et procure davantage d'énergie. Soyez enthousiaste, et suivez le régime mental.

3. L'ÉNERGIE ÉMOTIONNELLE

Comment vous sentiriez-vous si vous perdiez votre emploi ? Si vous aviez un nouvel emploi ? Si vous étiez amoureux ? Si vous perdiez un être cher ?

Toutes ces questions concernent vos émotions, aussi bien positivement que négativement. La réponse à chaque question déterminera votre état mental et votre niveau d'énergie.

Si nous n'avons pas quelqu'un que nous aimons sincèrement ou quelque chose à quoi nous tenons, nous devenons déprimés même si nous réussissons ailleurs. Nous avons besoin d'affection ; en manquer crée une tension physique et une perte d'énergie. L'amour libère le désir et engendre une énergie puissante. Le sentiment d'être rejeté par quelqu'un que vous aimez crée un stress émotionnel et une perte d'énergie. Quand elles perdent un emploi auquel elles tenaient et pour lequel elles donnaient le meilleur d'elles-mêmes, certaines personnes détruisent leur propre énergie. Nous avons tous besoin de sentir que nous sommes reconnus, aimés et pris en considération.

Nos émotions agissent de façon à ce que tout entre dans l'ordre, positivement ou négativement. Pour avoir un niveau d'énergie émotionnelle sain et positif, suivez les règles suivantes :

1. Utilisez des affirmations positives.

2. Aimez-vous sans réserve.

3. Intéressez-vous aux autres sans arrière-pensée.

4. Appréciez vos réussites.

Rappelez-vous que le corps et l'esprit sont liés : si vous en changez un, vous changez l'autre. Rappelez-vous aussi qu'avec l'aide de votre énergie physique, mentale ou émotionnelle, vous serez parmi les plus efficaces et accomplirez ce que vous voulez et désirez vraiment.

L'ULTIME RECETTE DE LA PUISSANCE DE L'ÉNERGIE

1. Pratiquez la méthode de la respiration énergétique à raison de 10 fois, 3 fois par jour.

2. Faites des étirements et des exercices pendant 15 minutes et augmentez-en la durée graduellement.

3. Marchez, courez, nagez et faites des exercices aérobiques, c'est excellent. Devenez membre d'un club et prenez l'habitude de faire de l'exercice trois fois par semaine.

4. Mangez des repas équilibrés. Évitez les gros repas. Mangez plus souvent, mais en petite quantité.

5. Consommez des aliments qui contiennent de l'eau et habituez-vous à manger des salades avec vos repas.

6. Chaque jour, buvez suffisamment d'eau et de jus de fruits.

Tout ce que cela prend, c'est ce que j'appelle le D.E.D. :

– **D**ésirer se donner de l'énergie ;

– S'**E**ngager à être en santé ;

– Se **D**iscipliner pour se garder motivé et continuer.

N'oubliez pas que votre apparence a un effet direct sur vos sentiments et vos réussites. Commencez dès aujourd'hui. Votre récompense sera énorme !

TROISIÈME PARTIE

LES PROCÉDÉS DE MÉMORISATION DU **TOP VENDEUR**

Nous devons avoir une bonne mémoire
pour pouvoir respecter nos promesses.

Friedrich Wilhelm Nietzsche

LA MÉMOIRE EST UN POUVOIR

*La mémoire est la base
de l'apprentissage.*

Ibrahim Elfiky

La mémoire est une faculté qui se développe comme les autres, par un entraînement constant. Quand quelqu'un dit : « J'ai une mauvaise mémoire » ou « je suis incapable de retenir les noms » il est simplement en train de dire à son esprit de ne faire aucun effort pour se souvenir. C'est extrêmement embarrassant pour un vendeur d'oublier le nom de son client. Être appelé par son nom est ce qui semble le plus agréable ; le nom est un excellent outil à utiliser. Il n'y a pas de bonne ou de mauvaise mémoire, mais des mémoires entraînées ou pas.

POURQUOI OUBLIE-T-ON ?

Pour pouvoir comprendre et acquérir le talent de se souvenir, il faut d'abord savoir pourquoi on oublie. Voici 5 facteurs importants :

1. On ne prête pas attention ;

2. On ne s'intéresse pas ;

3. On ne se concentre pas correctement et clairement ;

4. On laisse d'autres facteurs intervenir ;

5. On est sous l'effet du stress.

Le régime alimentaire joue un rôle important dans la concentration mentale, car après un gros repas le corps a besoin de sang pour digérer.

LES 10 COMMANDEMENTS
D'UNE MÉMOIRE ENTRAÎNÉE

1. **La motivation**
   Il est très important d'être suffisamment motivé, d'avoir une forte volonté et de vouloir se souvenir.

2. **L'intention**
   Si vous avez l'intention de vous souvenir, votre esprit sera attentif afin de vous aider à vous souvenir.

3. **L'intérêt**
   L'être humain se rappelle ce qui l'intéresse. Par exemple, un étudiant qui ne réussit pas dans ses études sera peut-être très bon au hockey parce qu'il s'y intéresse.

4. **La compréhension**
   En comprenant et en vous concentrant, vous serez en mesure de vous souvenir.

5. **L'attention**
   Quand on vous présente quelqu'un, prêtez attention et si le nom n'est pas clair, demandez qu'on vous le répète.

6. **La confiance**
   Un manque de confiance en soi est une des raisons qui fait qu'on échoue. Ayez confiance en votre mémoire et elle ne vous fera pas défaut.

7. **La technique**
   Il est très important d'être motivé, mais il faut savoir comment entraîner votre mémoire ; en apprenant les techniques présentées dans ce livre, vous atteindrez vos objectifs.

8. **Le renforcement**
   La répétition est capitale pour l'étude ; en répétant l'information, vous la renforcerez dans votre esprit.

9. **L'entreposage d'information**
Tous les renseignements doivent être rangés de façon à les retrouver facilement au besoin.

10. **La pratique**
Comme dans les sports ou au travail, la même règle s'applique ; utilisez vos talents et ils deviendront une seconde nature.

LES TECHNIQUES DE MÉMORISATION

Il existe deux genres de mémoire :

1. La mémoire à court terme ;

2. La mémoire à long terme.

Avec la mémoire à court terme, on perd vite l'information, par exemple les noms et les numéros. Avec la mémoire à long terme, votre nom, le nom des membres de votre famille sont entreposés en sécurité et réapparaissent au besoin. Pour entreposer l'information, vous devez suivre les 10 commandements cités.

Le défi est d'entraîner la mémoire récente à garder l'information longtemps et à l'envoyer dans la réserve, en sécurité. Pour le faire, lisez attentivement ce chapitre. Ouvrez votre esprit, détendez-vous et pratiquez régulièrement.

1. Les associations de base

Veuillez suivre les étapes dans l'ordre :

La liste clé

1	bâton	7	dés
2	serrure de porte	8	patins à roulettes
3	triplés	9	bébé
4	chien	10	orteils
5	main	11	équipe de football
6	auto	12	pâtisseries

13	film d'horreur	17	immeuble
14	or	18	bar
15	chèque de paie	19	terrain de golf
16	permis de conduire	20	cigarettes

Exercice

1. Lire la liste ci-dessus une fois seulement.
2. Fermez les yeux et imaginez les mots dont vous pouvez vous souvenir.
3. Ouvrez les yeux et écrivez ceux dont vous vous souvenez sans regarder la liste.

Résultat

Vous vous souvenez de quelques mots, mais pas dans l'ordre. En utilisant la méthode suivante, vous serez étonné de voir à quel point votre mémoire s'améliore.

Méthode

Première étape : Lisez les cinq premiers mots et découvrez leurs associations.

1. bâton, pourquoi ? Un bâton ressemble à un 1.
2. serrure de porte, pourquoi ? Il y a deux mouvements (ouvrir/fermer).
3. triplés. Il y a trois bébés.
4. chien. Il a quatre pattes.
5. main. Elle a cinq doigts.

Maintenant :

Fermez les yeux et nommez les cinq premiers mots à voix haute ;

Ouvrez les yeux et écrivez-les ;

Si vous en oubliez, pensez à leurs associations.

Deuxième étape : Lisez les articles 6 à 10 et découvrez leurs associations.

6.   auto. Elle a six cylindres.

7.   dés. Numéro chanceux (7).

8.   patins à roulettes. Ils ont huit roulettes.

9.   bébé. La mère l'attend neuf mois.

10.   orteils. Il a dix orteils.

De nouveau :

Fermez les yeux et nommez les mots à voix haute.

Ouvrez les yeux et écrivez-les.

Si vous en oubliez un, lisez encore la liste et revoyez leurs associations.

Fermez les yeux et énumérez les mots de 1 à 10.

Troisième étape : Lisez les mots 11 à 15 et découvrez leurs associations.

11.   équipe de football. Il y a onze joueurs.

12.   pâtisseries. Ça s'achète à la douzaine.

13.   films d'horreur. Vendredi 13.

14.   or. Quatorze carats.

15.   chèque de paie. On est payé tous les 15 jours.

De nouveau :

Fermez les yeux et nommez les mots à voix haute.

Ouvrez les yeux et nommez-les.

Écrivez les mots 1 à 15.

Vous devez les connaître tous ; sinon, relisez-les et revoyez leurs associations.

Quatrième étape : Lisez les mots 16 à 20 et découvrez leurs associations.

16.   permis de conduire. On l'obtient à seize ans.

17. immeuble. Il a dix-sept étages.

18. bar. On est admis dans un bar à dix-huit ans.

19. ˙ terrain de golf. Il y a 19 trous sur un terrain de golf.

20. cigarettes. Il y a vingt cigarettes dans un paquet.

De nouveau :
Fermez les yeux et nommez les mots à voix haute.
Ouvrez les yeux et nommez-les.

Finalement :
Lisez les 20 mots à voix haute avec leurs associations ;
Énumérez les 20 mots sans regarder la liste ;
Écrivez-les et constatez vos progrès ;
S'il vous en manque un ou plus, relisez les associations.

Pratiquez à l'aide de votre liste, elle vous sera très utile pour vous souvenir des numéros et des rendez-vous.

2. Le système d'association

Le système d'association est surtout fait pour se souvenir des choses par ordre comme les rendez-vous, un discours, une liste d'emplettes, etc. Ce qu'il faut, c'est relier les mots entre eux de façon inhabituelle.

Le système d'association dépend de :

1. L'imagination : utilisez votre imagination au maximum.

2. L'exagération : utilisez des millions de chiffres et des détails peu communs.

3. L'action : visualisez des scènes qui sortent de l'ordinaire et participez à ces scènes.

Évitez surtout la logique et les scènes ennuyantes, telles que «un chien court après un chat». C'est logique et ordinaire, donc cela s'oublie facilement. À la place, imaginez un chien énorme déguisé en chat et allant à une soirée d'Halloween, parce que la scène est originale, ce sera facile de vous en souvenir, aussi longtemps qu'elle vous est utile. À présent, imaginons que vous avez 10 choses à faire dans une journée et que vous les avez écrites par ordre d'importance.

1. Acheter un livre
2. Téléphoner à un client
3. Aller chez le dentiste
4. Faire le plein d'essence
5. Acheter des fleurs à votre femme
6. Réparer vos lunettes de soleil
7. Jouer au tennis
8. Manger un sandwich
9. Aller chercher votre complet chez le nettoyeur
10. Aller chercher les enfants à l'école

Les mots clés à se rappeler sont :

1. Livre	6. Lunettes de soleil
2. Téléphone	7. Tennis
3. Dentiste	8. Sandwich
4. Auto	9. Complet
5. Fleurs	10. Enfants

L'idée est de relier le premier mot au deuxième, le deuxième au troisième et ainsi de suite :

1 et 2   Livre et Téléphone
                Exemple : Imaginez un énorme livre qui télé-phone.

2 et 3   Téléphone et Dentiste
                Exemple : Imaginez un énorme téléphone qui va chez le dentiste.

3 et 4   Dentiste et Auto

Exemple : Imaginez un dentiste qui vous fait asseoir dans une auto.

4 et 5   Auto et Fleurs

Exemple : Imaginez l'auto éternuer car elle est allergique aux fleurs.

5 et 6   Fleurs et Lunettes de soleil

Exemple : Imaginez une fleur qui porte des lunettes de soleil.

6 et 7   Lunettes de soleil et Tennis

Exemple : Imaginez des lunettes de soleil jouant au tennis.

7 et 8   Tennis et Sandwich

Exemple : Imaginez-vous jouant au tennis avec un sandwich.

8 et 9   Sandwich et Complet

Exemple : Imaginez un énorme sandwich portant un complet rouge.

9 et 10   Complet et enfant

Exemple : Imaginez un complet rouge qui a des pieds et qui court après un enfant.

10 et 1   Enfant et Livre

Exemple : Imaginez vos enfants en train de manger un livre

Note :   Il est important de débuter et de finir au même point.

Exercice :

Avant de passer aux prochaines techniques, ouvrez un livre, choisissez 10 mots et enchaînez-les. Il est important de visualiser des images claires. Plus vous jouez avec vos associations, plus vous vous en souviendrez.

COMMENT SE SOUVENIR DES NOMBRES ?

Nous visualisons en images, donc nous oublions fréquemment les nombres, car ils sont intangibles et représentent des formes. Pour certaines personnes, se souvenir des nombres est très important : formules, adresses, codes d'ordinateurs, etc. En utilisant les techniques présentées ci-dessous, vous serez capable de vous souvenir de longues suites de chiffres.

Association de base et le système d'association

En mettant en pratique les techniques que je vous ai exposées sur l'association de base et le système d'association, vous pourrez vous souvenir de n'importe quel numéro. Voici comment :

1. Imaginons que vous voulez vous souvenir du numéro de téléphone 683-4915.

2. Faites le lien entre les chiffres et la liste clé :

6	8	3	4	9	1	5
Auto	Patins roulettes	Triplés	Chien	Bébé	Bâton	Main

3. Associez les mots ensemble comme dans le système d'associations.

Par exemple :

– L'auto a des patins à roulettes

– Les patins courent après des triplés

– Un chien géant porte une couche de bébé

– Un bébé suce du lait sur un bâton

– Un bâton a cinq gros doigts

C'est le premier système pour se souvenir des nombres. Pratiquez et amusez-vous.

COMMENT SE SOUVENIR DES NOMS ?

Les gens seront flattés et apprécieront que vous vous souveniez de leur nom. La plupart d'entre nous nous souvenons des visages, mais nous avons de la difficulté à nous rappeler les noms. La plupart des noms n'ont pas de sens propre, mais ils nous sont familiers, sauf s'ils proviennent de pays étrangers. Alors, pourquoi oublions-nous les noms ? En fait, nous n'oublions pas les noms ! Nous sommes si occupés à faire la connaissance de la personne que nous ne portons pas attention à son nom. Pour pouvoir vous rappeler les noms :

1. Utilisez les 10 commandements.

2. Faites l'association du nom avec :
   a) Quelqu'un que vous connaissez très bien.
   b) Une personne célèbre ou un personnage historique.
   c) Des objets que vous pouvez imaginer comme les fruits, les légumes, etc.

3. Remplacez le nom s'il ne vous est pas familier.

4. Observez le visage et choisissez le trait le plus frappant.

5. Associez le nom avec ce trait de la façon la plus ridicule.

6. Répétez le nom plusieurs fois.

7. Revoyez le nom le deuxième jour, trois jours après et une semaine plus tard.

Technique

1. Associez le nom avec autre chose :
   Exemple :   Vincent – Vin sang
   « un vin qui ressemble à du sang »

   Brigitte – Brie gîte
   « un fromage brie dans un gîte »

Pierre — Pierre
« une grosse pierre »

Denis – Deux nids
« deux nids d'oiseaux »

2. Observez le visage et cherchez le trait le plus proéminent : un gros nez, un grand front, de grosses lèvres, de grandes oreilles, etc.

3. Prenez le nom, les associations, les traits, et fixez le tout mentalement jusqu'à ce que vous visualisiez le nom de la personne écrit en grand sur son visage.

Exemple : Vincent a le teint rouge comme du sang, alors imaginez-le quand il est gêné.

Dorénavant, quand vous rencontrez quelqu'un, mettez en pratique les connaissances que vous avez acquises. Vous n'avez rien à perdre et beaucoup à gagner. N'oubliez pas, amusez-vous à le faire.

NOTE IMPORTANTE : Vous ne pouvez pas simplement lire ce chapitre et croire que vous allez améliorer votre mémoire. Vous devez apprendre les techniques. Le temps que vous prenez pour pratiquer vous économisera énormément de temps à l'avenir. Mettez ces idées en application et libérez votre pouvoir créatif.

QUATRIÈME PARTIE

LES POUVOIRS DU **TOP VENDEUR** : LA VOIE DE LA MAÎTRISE DE LA VENTE

Personne ne naît vendeur, on le devient par désir,
par la croyance, la connaissance, l'action,
les attentes et surtout, en aimant les gens.

Ibrahim Elfiky

LES POUVOIRS DU TOP VENDEUR

LES 10 PRINCIPES DE VENTE DU TOP VENDEUR

1. IL N'Y A PAS D'ÉCHEC.
IL Y A SEULEMENT DES EXPÉRIENCES.

Peu importe ce que vous faites, peu importe qu'une activité à laquelle vous vous adonnez soit couronnée de succès ou non, vous ajoutez toujours une nouvelle dimension à un bagage d'expériences qui prend continuellement de l'ampleur. Si un projet n'a pas fonctionné comme prévu, vous avez au moins, maintenant, le mérite de connaître une fois pour toutes la raison pour laquelle il n'a pas fonctionné.

2. CHAQUE PERSONNE EST UN CLIENT POTENTIEL.

Les gens ne vont jamais arrêter de manger, de boire et, chose certaine, d'acheter. C'est donc dire qu'un ami, un membre de la famille, un politicien, un comédien, tout le monde achète et continuera d'acheter.

3. CHAQUE CLIENT EST UN CLIENT POTENTIEL POUR D'AUTRES CLIENTS.

Chaque personne que vous croisez connaît un minimum de 3 autres personnes qui peuvent utiliser ce que vous vendez. Désormais, votre défi ne consiste plus seulement à conclure une vente avec un client en particulier, mais bien à obtenir, à l'aide de ce dernier, le nom d'autres gens qui pourraient éventuellement être intéressés par le produit ou par le service que vous offrez.

➡

4. CHAQUE CLIENT EST UN CLIENT POTENTIEL POUR D'AUTRES VENTES.

C'est ce que j'appelle « la conduite ». Chaque vente doit absolument amener d'autres ventes. Il faut « conduire » le client avec soi ; il faut, en fait, construire un mur autour de soi-même et de son client.

5. PLUS VOUS VENDEZ, PLUS VOUS CROYEZ QUE VOUS ÊTES CAPABLE DE VENDRE.

La croyance suscite l'action. Ainsi donc, quand vous vous croyez capable de vendre, malgré tous les obstacles qui peuvent se retrouver sur votre passage, vous allez continuer à vendre.

Aussi, l'action provoque la confiance. Si vous vendez pour la première fois et que vous réussissez à conclure une vente satisfaisante, votre action aura pour effet d'élever votre niveau de confiance en vous-même. Ainsi, plus vous vendez, plus vous allez activer la loi de croyance et vous allez vous mettre à vendre comme un top vendeur.

6. LA VENTE DÉBUTE SEULEMENT QUAND VOUS VOUS RETROUVEZ AVEC DES CLIENTS.

Bien sûr, la motivation, la connaissance, la préparation, la qualification des clients sont tous des points importants, mais ils deviendront inutiles si vous ne les mettez pas en pratique. Un boxeur qui est fort physiquement et mentalement peut bien s'entraîner plusieurs heures par jour. Toutefois, s'il ne participe jamais à un seul combat, ce n'est pas un boxeur. C'est la même chose quand on parle de vente. Vous devenez un top vendeur en exerçant des ventes, en rencontrant des clients et en apprenant d'eux.

➡

7. IL N'Y A PAS DE CLIENTS DIFFICILES. IL Y A SURTOUT DES VENDEURS QUI MANQUENT DE SOUPLESSE.

En programmation neurolinguistique, on dit d'une personne flexible qu'elle est « en contrôle ». Ainsi donc, si le client refuse de vous rencontrer, ou n'accepte pas vos idées ou vos suggestions, cela ne veut pas dire qu'il est difficile, mais que vous avez dit ou fait quelque chose qui a provoqué ce résulat. Apprenez à être flexible. Changez vos stratégies. Rencontrez le client dans son milieu et non pas dans le vôtre.

8. CONCLURE LA VENTE EST UN PHÉNOMENE NATUREL.

Plus vous « poussez », plus vous « essayez fort » de conclure la vente, moins vous avez de chances de réussir. Apprenez à découvrir les valeurs du client, à connaître ses besoins ; la vente suivra naturellement. Concentrez vos efforts sur l'aide que vous pouvez lui apporter et vous deviendrez vite un top vendeur.

9. LA MAÎTRISE DE LA VENTE COMMENCE PAR LA MAÎTRISE DE SOI.

Quand vous parviendrez à vous motiver vous-même, sans vous laisser affecter par l'influence externe qui provient des gens ou des circonstances, quand vous cesserez de juger les autres et quand vous serez capable de contrôler vos sentiments, vous acquerrez rapidement le statut de top vendeur.

10. JE SUIS RESPONSABLE DE MON ESPRIT. JE SUIS DONC RESPONSABLE DE MES RÉSULTATS.

Quand vous vous rendrez compte de cet état de choses, vous utiliserez vos connaissances et votre potentiel pour trouver des solutions. *Vous* êtes la cause ; l'effet, c'est le ➡

résultat que vous obtenez. Si vous croyez que tout est de la faute du gouvernement, des clients ou de qui que ce soit d'autre, vous n'utiliserez pas votre potentiel à bon escient. Le chemin des top vendeurs est ponctué par la responsabilité. Assumez la responsabilité de vos actions et vous serez en mesure de changer vos résultats.

**GARDEZ CES 10 PRINCIPES SUR VOUS.
LISEZ-LES RÉGULIÈREMENT. VOUS SEREZ SURPRIS
DU RÉSULTAT.**

LA NOUVELLE TECHNOLOGIE

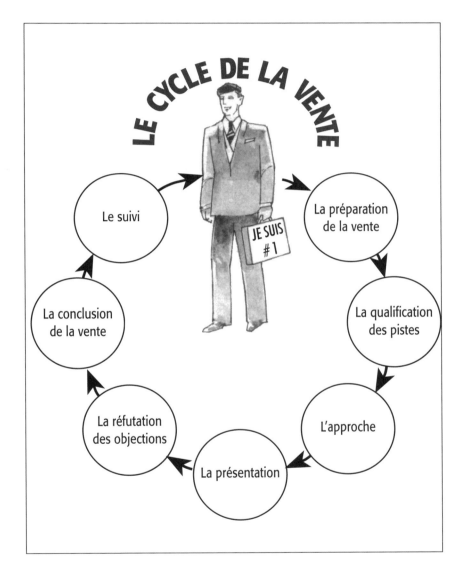

Tout commence par la préparation

*Celui qui a commencé a
fait la moitié du chemin :
osez être sage, commencez.*

Horace

L a préparation est le premier pas dans le cycle de la vente, et c'est elle qui fait toute la différence dans la réussite d'une vente. Malheureusement, cette étape est très négligée par la plupart des vendeurs, du fait qu'ils décident souvent de rencontrer un futur client sans connaître ses besoins ; par conséquent, ils perdent la vente. Dans le domaine des ventes, tout le monde commence au même point de départ. Les **top vendeurs** vont suivre et respecter toutes les étapes une à une et réussiront, mais les amateurs vont en oublier quelques-unes et obtiendront un résultat médiocre. **La base de la réussite est de se préparer**. Jésus-Christ a dit : « Ce que vous faites en privé sera récompensé en public. »

QU'EST-CE QUE LA VENTE ?

Auparavant, vendre voulait dire vendre un produit ou un service pour un prix défini. Avec le temps, le sens a changé. Aujourd'hui, le client connaît les produits ou services, ainsi que les effets de la concurrence et cherche la plus grande valeur au meilleur prix possible. De nos jours, la vente est, selon moi, une façon de savoir ce que le client veut, de connaître ses besoins et ses désirs et de résoudre ses problèmes par un produit ou un service en faisant un profit. **C'est vendre un produit ou un service pour les gens, et non aux gens. C'est inciter le client à croire en ce que nous croyons sincèrement être la meilleure solution pour lui, tout en connaissant aussi bien son point de vue que le nôtre.** C'est sur ce point que repose le sens de la vente de nos jours.

LES 5 PRINCIPAUX TYPES DE VENDEURS

Il existe cinq principaux types de vendeurs. Ces types de vendeurs obtiennent un degré de réussite varié. Les connaître vous aidera à vous situer et à définir ce que vous voulez devenir.

1. Le guide

Ce vendeur n'a pas beaucoup d'expérience. Il peut être organisé et connaître les avantages et les politiques de la compagnie. C'est le type de vendeur qui, lorsqu'il fait visiter une maison à des clients, dit : « Voici la chambre à coucher », comme si le client ne savait pas à quoi ressemble une chambre à coucher. Il agit de la même façon pour les autres pièces. Il travaille fort mais ne s'améliore pas. Au fond de lui-même, il n'aime pas sa profession de vendeur, c'est plutôt un guide.

2. Le vendeur moyen

Le vendeur moyen connaît bien son produit. Il est bien préparé et pourrait même vous dire comment réussir, mais n'agit pas. Il est du genre satisfait, qui vend pour gagner sa vie. Il saute la plupart des étapes du cycle de la vente, car il trouve que c'est du temps perdu. Il fait plus d'appels téléphoniques sans préparation que les autres vendeurs et n'obtient que quelques ventes. C'est un vendeur, mais un vendeur moyen.

3. Le manipulateur

Ce vendeur en connaît plus sur la vente que le guide et le vendeur moyen. Il connaît suffisamment son métier et fait assez d'argent. Sa façon de vendre est dynamique. Il sait que le client n'achètera pas à moins de faire pression sur lui ou de le coincer. Quand il rencontre des clients, c'est lui seul qui parle. Il ne fait pas de suivis sur ses ventes. Tout ce qui l'intéresse, c'est sa commission. Les gens font affaire avec lui à cause de son charme et de sa personnalité, mais il ne les fidélise pas. Il cherche constamment de nouveaux clients. Il critique tout le monde : la compétition, la compagnie et ses clients. C'est un manipulateur.

4. Le professionnel

Le professionnel connaît bien son produit et les avantages de la compagnie qui l'emploie. Il a une belle personnalité et va de l'avant. Il réussit bien dans la vente et a une clientèle établie. Il croit être le meilleur et ses connaissances sont suffisantes. C'est pourquoi il ne demande jamais conseil et n'écoute pas les autres. Il ne veut pas apprendre ou améliorer ses connaissances. Il compte sur son expérience, utilise très souvent les mêmes phrases, mots clés et clichés. Il a aussi tendance à répéter les mêmes anecdotes. Son expérience le place dans une catégorie plus haute que les autres vendeurs, mais on l'appelle « monsieur-je-sais-tout ». C'est un professionnel.

5. Le top vendeur

Le **top vendeur** est de loin le meilleur type de vendeur. Il est fort mentalement, positif, motivé, honnête, sincère, sûr de lui, organisé, informé, enthousiaste, avide, il aime s'améliorer par l'étude ou par des séminaires, il est indépendant et connaît parfaitement son produit. Il ne critique jamais la compétition. Il veut ce qu'il y a de mieux pour ses clients. Il est plein de charme, créatif et réussit à tous points de vue. **C'est un top vendeur**, et il le sait.

Si vous voulez réussir dans la vente, soyez un **top vendeur**. Vous aimerez la réussite et, de plus, vous aurez du plaisir à travailler et aurez du plaisir avec vos amis.

COMMENT ÊTRE **TOP VENDEUR** ?
La formule ultime :
12 conseils pour avoir une image professionnelle

Votre image professionnelle doit être irréprochable quand vous rencontrez un futur client. Cela aura une grande répercussion sur votre réussite ou votre échec ; l'ultime formule de l'image professionnelle vous montrera le moyen de parvenir à la réussite dans la vente.

1. Soyez organisé

Être organisé est la base de l'image professionnelle et fait toute la différence entre un **top vendeur** et un vendeur moyen. J'ai rencontré et observé plusieurs vendeurs désorganisés qui voulaient me vendre leurs produits et leurs services. Voici quelques exemples du comportement d'un vendeur désorganisé :

a) Il oublie sa carte d'affaires.

Il la cherche dans ses poches, son portefeuille, sa serviette et finit par dire :

« Je m'excuse, je les ai oubliées. »

« J'ai dû les laisser dans mon autre veston. »

« Je viens juste de donner ma dernière carte à mon client précédent. »

« Je crois que je les ai oubliées dans mon auto. »

« Je vous en enverrai une. »

b) Il redécore mon bureau.

Il prend la chaise et l'approche de mon bureau. Il bouge la table pour y poser sa serviette et repousse les articles et les papiers pour se faire de la place pour écrire.

c) Il commence à se déshabiller.

Il ôte sa veste et la dépose sur un fauteuil.

d) Son stylo ne fonctionne pas.

Il emprunte mon stylo, ou en prend un sur mon bureau.

e) Il oublie ses brochures.

Il cherche dans sa serviette en désordre et bourrée de documents. Quand il se rend compte que ses cartes d'affaires n'y sont pas, il dit : « Je vous en enverrai une ».

f) Il utilise mon téléphone sans demander ma permission, le saisit, puis il argumente avec la personne à l'autre bout du fil.

g) Il utilise ma calculatrice.

Il se sent libre d'utiliser ma calculatrice pour faire des évaluations.

h) Il blâme sa compagnie de tout le désordre. Quand il quitte mon bureau, il oublie ses papiers.

Ce ne sont que quelques exemples de la réalité des vendeurs qui perdent la vente, mais qui donnent aussi une mauvaise impression de leur compagnie et poussent les gens à s'interroger sur leur compétence. Rappelez-vous, le client observe tout et vous juge d'après l'image que vous projetez. Être organisé débute dans votre bureau. Décorez-le agréablement avec des meubles confortables et l'équipement nécessaire, de l'agenda à la calculatrice.

Les cartes d'affaires

Faites-en imprimer un nombre suffisant. Gardez-en dans votre bureau, dans votre serviette et dans la poche de votre veste. Assurez-vous de ne jamais en manquer.

Les classeurs

Conservez un fichier informatique séparé pour chaque type de marché et chaque client. Classez-les par ordre alphabétique, avec vos observations et vos commentaires sur chaque vente et chaque client. Écrivez tous les renseignements utiles : nom, numéro de téléphone, adresse, etc.

Préparez un dossier contenant :

– des photographies de la compagnie ;

– des photographies des produits ou services ;

– une brochure de la compagnie ;

– des lettres de clients satisfaits.

Matériel de support

Dans votre serviette, ayez toujours un nombre suffisant de brochures de la compagnie, une calculatrice, des articles sur la compagnie et des lettres de clients satisfaits.

Cadeaux de la compagnie

Outils de marketing, la plupart des compagnies offrent des articles de promotion : agendas, calendriers, stylos, etc. Gardez-en un nombre suffisant dans votre serviette.

Planifiez vos messages téléphoniques

Planifiez la manière dont vous aimeriez prendre vos messages. Être organisé ne donnera pas seulement une bonne impression de vous et de votre compagnie mais cela vous fera économiser aussi beaucoup de temps.

2. Connaissez votre entreprise

Il vous faut connaître l'histoire de votre entreprise : comment elle a débuté, qui sont les propriétaires, quels sont leurs antécédents, combien de succursales elle a, et où elles se situent. Une connaissance approfondie de votre compagnie vous permettra de répondre à toutes les questions que votre client pourrait poser.

3. Connaissez votre produit

Le top vendeur connaît parfaitement son produit ou son service, ses forces ou ses faiblesses, sa qualité, sa durabilité, son service de garantie et le coût de ce service. Il connaît les personnes clés de sa compagnie et il sait comment elles peuvent l'appuyer ou déterminer ses ventes. Connaître ce que l'on vend est la base d'une vente réussie.

4. Croyez en votre produit

Si vous ne croyez pas en votre produit, comment voulez-vous que quelqu'un d'autre puisse y croire et l'acheter ? Lorsque vous pensez sincèrement que le produit aidera les gens à résoudre leurs problèmes, qu'il vaut son prix et que tout le monde devrait l'acheter pour en bénéficier, vous serez en avance sur la majorité des vendeurs et vous deviendrez un véritable top vendeur.

5. Connaissez vos concurrents

Vous devez connaître vos concurrents aussi bien que vous connaissez votre produit. Vous devez être informé sur tout ce qu'ils offrent, sur les forces et les faiblesses de leur produit comparé au vôtre. Vous devez aussi visiter leurs locaux, étudier leurs brochures, connaître leurs prix, observer la qualité de leur service, être familiarisé avec leurs méthodes, et être prêt quand votre client éventuel les mentionne. Vous apprendrez par les succès et les échecs de vos concurrents.

6. Connaissez votre territoire de vente

Commencez par faire une liste de tous les territoires cibles de votre marché. Faites des recherches sur l'accessibilité du territoire et sa localisation. Étudiez aussi le revenu des habitants de votre territoire. Vous gagnerez énormément de temps et vous vous sentirez à l'aise dans votre territoire.

7. Évitez les commérages de bureau

Le vendeur moyen ou faible se fera prendre facilement dans les commérages sur les mauvaises affaires de la compagnie ou sur le faible taux de la commission. Ces vendeurs apporteront leurs problèmes personnels au travail. Tout cela n'est que paroles négatives qui font perdre du temps et nuisent à tout le monde. Souvenez-vous qu'il y a trois types de personnes dans tout milieu de travail.

- – les personnes qui réalisent des choses ;
- – les personnes qui veulent que les choses leur arrivent ;
- – les personnes qui se demandent ce qui est arrivé.

Ne vous faites pas prendre dans les histoires de bureau. Dirigez vos efforts vers les domaines où vous pouvez augmenter vos ventes.

8. Planifiez votre temps avec efficacité

Horace a dit : « Le temps écoulé ne revient jamais. » Passer la journée sans planifier son temps est comme conduire une automobile les yeux bandés. Le temps est de l'or, c'est la vie même, et le gaspiller, c'est gaspiller la vie. Malheureusement, le vendeur moyen organise rarement son temps et trouve beaucoup d'excuses pour son manque de temps. Il pense que planifier, c'est gaspiller du temps, que c'est trop complexe et que chaque fois qu'il planifie sa journée, il ne peut pas suivre cette planification. Alors, à quoi bon ? Nous disposons tous de 24 heures dans une journée, que nous soyons politicien, président d'un pays, roi, bon ou mauvais vendeur. La différence vient de l'efficacité d'utilisation de notre temps. Pour savoir si le vendeur moyen manque vraiment de temps pour accomplir ses projets, nous pouvons dire que :

- • Nous avons besoin en moyenne de 8 heures de sommeil ;
- • Nous prenons en moyenne 10 heures pour travailler ;

- Conduire l'auto, attendre en ligne à la banque, etc., prend à peu près 2 heures en tout ;

- La pause café, le déjeuner et le dîner prennent environ deux heures.

Selon ces données, le vendeur dispose encore de deux heures, alors pourquoi se sent-il à court de temps ?

*Le temps est la chose la
plus précieuse qu'un
homme puisse dépenser.*

Théophraste

Le **top vendeur** sait planifier son temps et tirer profit des 24 heures de chaque journée. Il évite d'être surorganisé, de planifier chaque détail, de se surcharger, ou de planifier trop peu et de gaspiller son temps. Il sait que la clé de la réussite réside dans un bon équilibre et une planification réaliste de son temps.

La formule gagnante de l'organisation

1. Chaque soir avant de dormir, faites une liste de toutes les choses que vous voulez accomplir le lendemain.

2. Classez-les par priorité. Par exemple :
   a) Faire de l'exercice ;
   b) Prendre le petit déjeuner ;
   c) Téléphoner.

3. Planifiez du temps pour les sollicitations, c'est-à-dire le nombre de personnes à rencontrer.

4. Planifiez du temps pour la préparation des ventes.

5. Planifiez du temps pour la présentation de votre produit ou de votre service.

6. Planifiez du temps pour votre santé et votre forme (exemple : faire 30 minutes d'exercice).

7. Planifiez du temps pour votre famille (exemple : souper ensemble durant la semaine, sortir ensemble la fin de semaine).

8. Planifiez du temps pour vos loisirs, comme la lecture.

9. Planifiez du temps pour les situations de crises ou les interruptions (exemple : visite d'un ami, collègue de travail).

10. Agissez en conséquence jusqu'à ce que ce soit fait.

Si vous ne faites pas toutes les choses de votre liste, vous pouvez les reporter à la journée suivante, mais si vous continuez à remettre les choses au lendemain, vous temporisez. Vous devez en ce cas utiliser la règle :

– Faites-le maintenant ou

– Déléguez-le à quelqu'un d'autre ou

– Supprimez-le

Gérer son temps demande de la pratique. Commencez maintenant ; faites-le avant de dormir et laissez votre subconscient vous aider à l'atteindre. Profitez des gains acquis.

9. Fixez-vous des buts réalistes

Si vous ne savez pas où vous allez, n'importe quel chemin peut vous y mener. Ne pas avoir de but est comme conduire son auto sans destination précise. Vous allez finir par vous perdre.

Se fixer des objectifs, c'est comme faire un plan de marketing pour une compagnie. C'est la façon de guider votre vie, et la façon d'atteindre l'excellence et de réaliser vos rêves.

Les 12 règles nécessaires pour atteindre vos objectifs

1. Décidez ce que vous voulez.

2. Déterminez très clairement vos objectifs (ne soyez pas vague).

3. Croyez en votre capacité d'atteindre vos objectifs.

4. Écrivez-les. Vous êtes plus engagé quand vous les écrivez.

5. Soyez souple. Changez ce qui doit être changé et acceptez le changement.

6. Fixez des dates pour la réalisation de vos objectifs. Est-ce que vous pouvez imaginer une partie de hockey sans temps limite ? Les joueurs joueraient éternellement.

7. Identifiez les problèmes auxquels vous pourriez faire face et résolvez-les.

8. Identifiez les capacités dont vous avez besoin pour atteindre vos objectifs, développez-les et utilisez-les.

9. Faites un plan, et visualisez-vous en train de le réaliser.

10. Revoyez vos objectifs régulièrement.

11. Soyez enthousiaste sur la réalisation de vos objectifs.

12. N'abandonnez pas !

Commencez aujourd'hui. Fixez vos objectifs chaque jour et voyez comment vous avancez. Planifiez aussi loin que possible et quand vous y arrivez, faites d'autres plans et allez plus loin. Vos objectifs vont vous pousser à les atteindre. La clé est de prendre des décisions et de s'y tenir. Faites-le maintenant.

10. Développez votre amour-propre

Votre image de réussite et de professionnalisme sera parfaite lorsque vous aurez développé votre amour-propre et que vous vous sentirez bien dans votre peau. Voici les cinq clés de l'amour-propre :

1. Fermez la porte du passé. Pardonnez et oubliez.

Utilisez votre passé pour améliorer le présent et l'avenir. Ne restez pas pris dans le passé, à songer à ce que les gens vous ont fait et au nombre de fois où vous avez échoué. Investissez votre énergie dans le présent. Si le présent est merveilleux, l'avenir prendra soin de lui-même.

2. Ne vous comparez pas aux autres.

Nous avons souvent tendance à comparer nos points faibles avec les points forts des autres. Rappelez-vous que vous êtes unique. Ne comparez que vous-même et vos réalisations passées et améliorez-les.

3. Apprenez à vous aimer.

Vous êtes votre meilleur ami. Quoi que vous fassiez, où que vous alliez, vous êtes votre propre compagnon. Alors, aimez-vous. Regardez-vous dans le miroir et dites plusieurs fois « Je m'aime ». Ressentez-le. Vous vous sentirez bizarre au début, mais les résultats seront étonnants.

4. Apprenez à aimer votre corps.

Vous êtes ce que vous êtes. Votre corps travaille très fort pour vous et ne mérite pas de ne pas être aimé. Appréciez-le et dites plusieurs fois « J'aime mon corps, je m'aime comme je suis, je m'aime sans réserve ».

5. *Identifiez vos atouts.*

Chaque soir avant de dormir, pensez à toutes les choses positives qui vous sont arrivées durant la journée. Ne pensez pas seulement aux mauvaises choses. Comptez vos atouts. Par exemple, vous pourriez dire : « J'aime les gens, je suis une personne enthousiaste, je me sens plein de confiance, j'ai un beau sourire, je crois en moi, j'excelle à conclure une vente. » Votre amour-propre engendrera toute l'énergie dont vous avez besoin pour avancer vers la réussite.

11. Soignez votre apparence

Votre apparence joue un grand rôle dans votre réussite. C'est la première chose que votre client éventuel va voir et il vous jugera d'après elle. Votre apparence se compose de :

    a) *L'apparence externe :*
        la façon dont vous vous habillez, vos cheveux, votre posture et votre poids.

    b) *L'apparence interne :*
        la façon dont vous écoutez et vous parlez. Le ton de votre voix, votre langage, votre sourire, votre vivacité, votre charme, votre attitude et votre comportement.

Votre apparence est la première impression du client, alors évitez d'être excentrique et soignez votre apparence. Après tout, vous vous habillez pour réussir.

L'IMAGE PROFESSIONNELLE DE LA VENTE

QUI SELON VOUS REMPORTE LA VENTE ?

12. Soyez toujours ponctuel

Arrivez 15 minutes à l'avance. Familiarisez-vous avec le territoire du client éventuel, apprenez le maximum sur lui et sur
sa compagnie. Être à l'heure est essentiel pour une bonne
image professionnelle. Cette image influencera les rencontres
avec vos clients. Elle aura du poids sur toute la présentation
de vente et, par conséquent, sur votre réussite ou votre
échec. Soignez énormément votre image professionnelle.
C'est une des clés de votre réussite.

LE POUVOIR DES MOTS

Nous gouvernons l'homme
avec des mots.

Napoléon Bonaparte

Quand vous rencontrez un client éventuel, vous avez tous les deux une chose en commun : LA PEUR ! Il a peur d'acheter et du coût engagé. Vous avez peur d'être rejeté et peur de l'inconnu. Il dépend de vous de libérer votre tension afin d'éliminer la peur. Les suggestions verbales auront un impact direct sur votre réussite. Le **top vendeur** sait les utiliser et se servir du ton de sa voix pour diriger la vente, mais de façon subtile.

1. LES 6 MOTS DE REFUS : COMMENT LES ÉVITER

a) Contrat

Quelle est la première chose qui vous vient à l'esprit quand vous entendez le mot « contrat » ? Procès, tribunal, loi ? Les contrats créent un sentiment négatif et suscitent une crainte. Évitez d'utiliser le mot et remplacez-le par « entente » ou « documents ».

b) Coût ou prix

Cela suppose des paiements, des prêts bancaires ou des hypothèques. Les coûts font mal, alors remplacez ce mot par « investissement ».

c) Signer

Les gens ne vont rien signer avant de lire le document attentivement. Le mot « signer » signifie « lien » ou « engagement » et provoque une résistance. Si vous demandez au client de signer quelque chose, il va sans doute répondre « Je vais y penser ». Pour faire passer l'idée, utilisez des mots comme « initialez » ou

« donnez votre accord ». Par exemple, vous pouvez dire : « Veuillez initialer ici » ou « Veuillez mettre votre accord sur ce document ».

d) Acheter

Les gens aiment acheter. Il y a des gens qui aiment faire les magasins, mais ils ne veulent pas se souvenir des coûts. Le mot « acheter » veut dire « coût », ce qui veut dire « paiement » et « douleur ». Remplacez-le par un mot comme « posséder ». Acheter fait mal, mais posséder est une joie parce que les gens aiment posséder.

e) Affaire

Le mot « affaire » sous-entend des coûts. Les **top vendeurs** n'offrent pas aux gens une affaire. Ils remplacent le mot « affaire » par « occasion ». Offrez à vos clients éventuels des occasions et évitez de leur proposer une affaire.

f) Versement et premier versement

Ces mots évoquent des coûts et coût signifie douleur et emprunts. À la place, utilisez des mots comme « investissement » ou « investissement initial ».

Des suggestions verbales peuvent mener à de bons résultats quand elles sont utilisées correctement. Afin de contrôler le processus de vente, évitez les mots de refus. Utilisez les mots de vente.

2. LES CAPTEURS D'ATTENTION

Ces mots sont utilisés pour attirer l'attention sur la déclaration qui suit et fait que le client éventuel se concentrera sur ce que vous dites. Par exemple : « Félicitations, maintenant, voici ». « Félicitations » peut aussi être utilisé comme mot d'introduction pour créer une relation avec le client éventuel.

Exemple :   « Félicitations, votre bébé est vraiment beau. »

« Félicitations, votre fils est très intelligent. »

« Félicitations, votre bureau est très bien organisé. »

« Maintenant » et « voici » peuvent être utilisés comme suit :

« Maintenant, revoyons les cinq avantages qu'offre votre automobile. »

« Maintenant, vous pouvez profiter de votre nouvelle maison. »

« Voici comment vous allez profiter de votre ordinateur. »

3. LES COMMANDES CACHÉES

Utilisés correctement, ces mots entraînent la décision et l'action. Par exemple, « Allons-y ». Ils peuvent aussi être utilisés dans une histoire.

Exemple 1 : Hier, j'ai rencontré un couple qui voulait acheter une auto. Ils ont trouvé celle qui leur plaisait mais ils hésitaient. J'ai dit : « Allons-y. Faites une offre. » Ils l'ont faite et maintenant, ils sont propriétaires de l'auto de leurs rêves. Ils l'ont même appelée Princesse. (Et vous souriez et regardez votre client dans les yeux en disant : « Allons-y. Faites une offre. »)

Exemple 2 : Après avoir fait votre présentation et montré aux clients les avantages de votre produit, vous pourrez demander : « Puis-je commander votre ordinateur aujourd'hui ? »

Les commandes cachées sont d'excellents outils pour essayer de conclure une vente.

4. LES MOTS QUI PRENNENT LE CLIENT PAR LES SENTIMENTS

Ces mots sont surtout utilisés dans la publicité pour nous persuader d'acheter un produit ou un service en faisant appel à nos émotions. Exemple : heureux, triste, seul, fâché, peine, plaisir, mère, bébé, perte et gain.

Quand ils sont utilisés sur un ton de voix particulier, ils rejoignent les sentiments et les émotions des gens et les poussent à l'action.

L'annonce publicitaire de AT&T montre un homme qui s'ennuie de sa mère parce qu'il ne lui a pas téléphoné depuis longtemps. Une autre image fait voir sa mère qui dit : « Il ne m'a pas appelée depuis longtemps ; il ne m'aime plus. » Puis vous voyez le fils qui dit : « Je dois appeler ma mère », et il téléphone avec AT&T. On voit ensuite la mère en larmes qui dit : « Après tout, il m'aime. » Puis on lit sur l'écran de télévision : « AT&T se soucie des autres. »

5. LES 4 MOTS NÉGATIFS : COMMENT LES ÉVITER

Quatre mots créent un impact négatif sur le subconscient. Sur le vôtre comme sur celui du client éventuel. Cela va entraîner une résistance pour acheter.

a) Pourquoi ?

Ce mot crée une confusion dans l'esprit et oblige les gens à chercher une raison. Normalement, les gens se sentent accusés quand on leur demande « pourquoi ? ». Et par conséquent, ils se mettent sur la défensive.

Exemple :   « Pourquoi est-ce que je suis si gros ? »

« Pourquoi est-ce que je perds toujours une vente ? »

« Pourquoi ne voulez-vous pas acheter maintenant ? »

Votre esprit va chercher des raisons, au lieu de trouver des solutions. Remplacez le « pourquoi » par « quoi » « quand » « comment » et « où ».

Exemple :   « Qu'est-ce que je peux faire pour perdre du poids ? »

« Comment est-ce que je peux conclure chaque vente ? »

Ceci permettra à votre esprit de chercher des solutions. Alors évitez de demander au client éventuel « pourquoi » et demandez-lui « quoi ? » « quand ? » « comment ? » « où ? »

b) Essayer...

Ce mot cache deux situations et entraîne deux réponses. Par exemple : « Essayer d'être à l'heure » mène à la réponse : « Je vais essayer, mais je ne peux pas ». Remplacez-le par : « Je serai et je ferai. »

> Exemple :   « Je vais essayer de le convaincre d'acheter. »
>
> Remplacez-le par : « Je vais le convaincre d'acheter. »

c) Mais...

Ce mot annule tout ce qui a été dit auparavant. Par exemple : « Votre produit est bien, mais je ne peux pas me le permettre. » À la place, utilisez « et » pour lier les deux phrases ensemble dans un sens positif.

> Exemple :   « Je veux être à l'heure, mais je ne peux pas. »
>
> « Je veux être à l'heure et je vais le faire. »

d) Si...

Ce mot engendre des possibilités. Remplacez-le par « quand ».

> Exemple :   « Votre travail sera facilité si vous achetez cet ordinateur. »
>
> « Votre travail sera facilité quand vous achèterez cet ordinateur. »

6. LES GÉNÉRALISATIONS : COMMENT LES ÉVITER

Généraliser avec des mots comme « toujours », « tout », « chaque » et « jamais », pourrait avoir un effet négatif sur votre produit et donner l'impression à votre client éventuel que vous n'êtes pas sincère.

Exemple : « Tous nos clients sont satisfaits. »

Cette déclaration peut semer le doute dans l'esprit du client ; celui qui écoute peut penser que vous exagérez et qu'il peut y avoir des clients qui ne sont pas satisfaits. À la place, vous pouvez dire :

« Nos clients sont satisfaits. »

Ainsi, vous pouvez remplacer :

« Tous nos produits sont supérieurs. »

par :

« Nos produits sont supérieurs. »

En évitant les généralisations, vous créerez une atmosphère de confiance sans exagération.

7. LES MOTS MAGIQUES

Certains mots donnent de l'autorité et produisent un fort impact.

a) Les mots qui finissent par « ment ». Par exemple, probablement, heureusement, évidemment, clairement…

« Évidemment, le service est votre préoccupation majeure. »

« Heureusement, vous allez être propriétaire de cette auto. »

b) Les mots qui finissent par « ant ». Par exemple, regardant, considérant, répondant, prenant, agissant…

« Considérant vos inquiétudes et en tenant compte de tous les avantages, n'êtes-vous pas d'accord que nous devons commencer maintenant ? »

c) Le mot « vraiment » fait que les gens cherchent l'information en profondeur.

« Est-ce que vous allez vraiment me donner votre soutien ? »

L'INFLUENCE DES QUESTIONS

*« Si j'ai seulement une minute
pour sortir d'une situation,
je sacrifie 55 secondes
pour trouver la bonne question,
ensuite la réponse est facile. »*

Albert Einstein

Poser des questions est un art. Le **top vendeur** connaît la façon de poser les questions pour découvrir les besoins et les désirs du client, isoler ses objections, confirmer sa décision d'acheter et le mener à conclure la vente.

LES 4 TYPES DE QUESTIONS ET LE POUVOIR DU « VOUS »

1. La série des « oui »

Ces questions sont conçues pour obtenir une série de « oui » ou de « oui mineurs » qui pourraient mener à un « oui majeur ». À cause de leur nature passive, le client va être entièrement positif. Ce qu'il faut, c'est programmer le client à l'habitude de dire « oui ».

a) Les questions d'ancrage

Ces questions consistent en phrases interrogatives affirmatives comme : « N'est-ce pas ? », « N'est-il pas ? », « N'a-t-il pas ? », « Ne devrions-nous pas ? », « Que pensez-vous ? », « Êtes-vous d'accord ? ». Les questions d'ancrage peuvent venir au début, à la fin, ou au milieu d'une phrase.

Exemple : « Aujourd'hui c'est mardi, n'est-ce pas ? »

« Ne croyez-vous pas que les ordinateurs sont importants aujourd'hui ? »

« Une fois que vous conduirez cette voiture, ne croyez-vous pas que vous aurez du plaisir ? »

b) Les questions qui suivent le mouvement de la pensée

Ces questions sont utilisées quand le client éventuel mentionne quelque chose d'important et que vous pensez que c'est utile à la vente.

Exemple :	Client :	« Mon offre n'est pas négociable. Mon budget ne me le permet pas. »
	Top vendeur :	« Ah ! oui ? »
	Client :	« Oui. »

Parce que c'est le client qui l'a mentionné, celui-ci va confirmer la réponse.

Les séries de « oui » ont une forte influence quand elles sont utilisées correctement. Pratiquez-les et utilisez-les jusqu'à ce qu'elles deviennent pour vous une seconde nature. Vous pourrez alors utiliser leurs pouvoirs.

2. Les questions avec choix

Ce type de question a pour objectif d'aider les **top vendeurs** à obtenir des rendez-vous ou à conclure une vente.

a) Pour obtenir un rendez-vous

Exemple : « Je serai dans votre secteur cet après-midi. Est-ce que deux heures ou trois heures vous conviendrait ? »

b) Pour conclure une vente

Exemple : « Préférez-vous que votre voiture soit rouge ou bleue ? »

« Préférez-vous que la livraison soit vendredi ou samedi ? »

Les questions avec choix sont directes, mais vous fournissez à votre client un choix au lieu d'une question qui mène à des réponses négatives. Les questions avec choix ont le pouvoir d'obtenir des réponses positives.

3. Les 2 questions reliées

Vous posez deux questions reliées. Ce type de question est destiné à :

a) Faire en sorte que le client éventuel s'imagine comment il va se sentir après avoir acheté le produit.

Exemple : « Une fois que vous aurez acheté cette voiture, allez-vous être le seul conducteur ou votre épouse va-t-elle aussi la conduire ? »

S'il répond à la seconde question, il répond aussi à la première et confirme l'achat du produit ou du service.

b) Faire en sorte que le client éventuel constate de quelle façon il va tirer profit de votre produit une fois qu'il l'aura acheté.

Exemple : « Quand vous aurez votre nouveau télécopieur, allez-vous l'utiliser pour votre bureau seulement ou le mettrez-vous à la disposition de quelqu'un qui paiera pour s'en servir ? »

Il verra la possibilité de gagner de l'argent. S'il répond à la deuxième question, il répond aussi à la première et confirme l'achat du produit ou du service.

4. L'approche « question pour question »

Elle est destinée à déterminer les besoins du client et à confirmer son désir d'acheter.

Exemple :	Client :	« Est-ce que vous financez l'achat ? »
	Top vendeur :	« Préférez-vous qu'on le finance ? »
	Client :	« Est-ce que cet ensemble de salle à manger est disponible en bois de cerisier ? »
	Top vendeur :	« Est-ce que le bois de cerisier est important pour vous ? »

En posant une question en réponse à sa question, vous garderez le contrôle de la situation ainsi que celui du processus de vente.

Vous connaissez maintenant le pouvoir magique de la psychologie et savez comment faire pour que vos mots vendent votre produit. Ces techniques sont souvent utilisées dans la publicité, comme la promotion de Michael Jackson dans les publicités de Pepsi-Cola. Pratiquez ces techniques jusqu'à ce qu'elles deviennent une seconde nature. Non seulement elles vous placeront parmi les **top vendeurs**, mais elles vous rendront unique dans l'art de vendre. Le **top vendeur** sait quand les utiliser pour conclure une vente.

5. Le pouvoir du « vous »

Le mot « vous » a un grand pouvoir quand il est utilisé sur un certain ton. Par exemple :

a) Amener le client éventuel à s'imaginer qu'il est le propriétaire de votre produit ou qu'il utilise le service que vous offrez.

Exemple : En montrant une maison, utilisez « vous » et « votre ».

« Cette chambre sera votre chambre à coucher où vous pourrez avoir votre

> télévision et regarder votre émission favorite. »

b) Amener le client potentiel à se concentrer sur votre déclaration.

> Exemple : « Comment vous sentirez-vous dans votre nouvelle auto ? »

Le pouvoir des mots est votre atout majeur dans la vente. Les mots sont les outils de persuasion les plus forts. Ils rendront votre produit plus attirant. Ils vont créer et établir une relation et feront de vous un top vendeur unique. Pratiquez jusqu'à ce que ces outils fassent partie de vous.

LES 3 SUJETS À ÉVITER

Trois sujets ont un aspect négatif à cause de leur nature personnelle. Ces sujets pourraient mener à une différence d'opinion et vous faire perdre la vente. Évitez-les !

1. La religion

Les gens ont des croyances différentes. Si vous abordez le sujet, vous pourriez faire face à une argumentation et créer un conflit entre vous et votre client éventuel. Évitez les discussions sur la religion, vous pourriez finir par perdre la vente.

2. La politique

C'est le deuxième sujet à éviter. Les gens ont des opinions différentes en politique et sur les politiciens. La politique pourrait aussi vous mener à argumenter et, par conséquent, à vous faire perdre une vente.

3. Les races

C'est un des sujets les plus délicats qui pourrait mener à la perte de votre vente. Ce sujet devrait être évité, même si votre client l'aborde. Vous devez simplement l'écouter poliment et ensuite retourner au but principal de votre rencontre.

LES 3 SUJETS À UTILISER

1. Des sujets d'intérêts mutuels, tels que les vacances ou la famille.

2. Les anciens produits qui ont été utilisés par le client. Ce sujet est très utile parce qu'il fera parler le client de ses besoins éventuels.

3. Laissez-le parler de lui-même. Les gens aiment parler d'eux. Montrez-lui de l'intérêt, vous le connaîtrez mieux.

Si vous voulez que quelque chose arrive ou si vous voulez réussir dans la vente, faites ce que fait chaque personne qui réussit dans le domaine ou dans toute autre profession : PLANIFIEZ. Non seulement vous serez plus confiant et gagnerez du temps, mais vous pourrez répondre aux six questions essentielles sur votre client éventuel. Ce sont : qui ?, quoi ?, où ?, quand ?, comment ? et pourquoi ? Votre capacité à répondre à ces questions alors que vous préparez la vente prouvera que vous serez prêt à y répondre plus tard quand vous rencontrerez votre client.

Maintenant, vous pouvez constater l'importance de la planification et comprendre la raison pour laquelle j'ai consacré un chapitre complet à ce sujet. Ne pas faire de planification entraîne une déception et la perte de la vente.

CHAPITRE

La prospection

COMMENT TROUVER VOS CLIENTS POTENTIELS ?

Le vendeur moyen se demande quoi faire, qui appeler, où commencer et il passe la majeure partie de son temps au bureau à blâmer sa compagnie pour le manque de clients, et à chercher constamment de nouveaux clients afin de remplacer ceux qu'il a perdus. Le **top vendeur**, avec toutes les références de sa clientèle satisfaite, s'apprête à fixer ses objectifs ; il décide du nombre de personnes à qui téléphoner et prend rendez-vous pour les rencontrer. Il cherche constamment de nouveaux clients pour augmenter sa clientèle déjà satisfaite et développer son réseau.

OÙ VONT LES CLIENTS ?

Voici les raisons[1] pour lesquelles nous perdons des clients :

- 1 % meurent.
- 3 % déménagent dans une autre ville.
- 5 % optent pour un ami à cause d'un changement d'administration.
- 9 % ne sont pas satisfaits en général.

---

[1] Selon une étude américaine réalisée pour le compte de la *Small Business Administration*.

- 14 % ne sont pas satisfaits du produit ou du service.
- 68 % sont insatisfaits à cause de l'attitude du vendeur qui promet trop et ne tient pas ses promesses.

Comme vous pouvez le voir, le problème principal est l'insatisfaction du client, liée directement au vendeur.

LES 2 SOURCES DE PROSPECTION

1. Les pistes et les références fournies

a) *Les listes de clients de l'entreprise*

Chaque entreprise a une liste de clients classés par catégorie. Le **top vendeur** étudie chaque dossier pour en savoir plus sur les noms de la liste, puis il planifie ses appels téléphoniques et se prépare à rencontrer les clients.

b) *Les clients inactifs*

Ils sont une source importante de références. Dans le passé, ces clients ont été motivés et ont utilisé le produit ou le service, mais ils ont perdu leur intérêt pour diverses raisons. En tant que **top vendeur**, vous avez une excellente occasion de vous présenter et de trouver la raison pour laquelle ils n'utilisent plus les services de la compagnie. Vous devez les motiver de nouveau.

c) *Le changement de personnel : les employés antérieurs*

Quand un vendeur quitte une entreprise, il laisse derrière lui ses clients, qu'ils aient été satisfaits ou non. Vous avez la chance de vous présenter comme leur nouveau représentant, et votre défi consistera à gagner leur confiance pour qu'ils apprécient votre travail.

d) *Les enquêtes*

Les personnes qui téléphonent pour s'informer des services ou des prix sont aussi de très bonnes sources d'affaires. Les vendeurs les apprécient parce que ce sont eux qui appellent. Ce type de piste est généralement sérieux ; plus de 50 % de ces personnes achèteront votre produit ou votre service. Tout dépend de la façon dont ils sont reçus.

e) *Les fournisseurs de l'entreprise*

Chaque entreprise, grande ou petite, doit acheter des produits ou des services des autres entreprises.

Pour un **top vendeur**, ces fournisseurs peuvent être une excellente source d'affaires, car ils ont votre entreprise comme client. Ils seront intéressés à faire affaire avec vous s'ils ont un besoin et que votre produit y répond. J'appelle cela un échange d'intérêts et d'avantages.

f) *Les annonces de l'entreprise : les promotions de vente*

Chaque fois que votre entreprise fait une annonce, ou met un produit en vedette pour l'annoncer et augmenter le volume des ventes, vous en profitez. Les gens vont téléphoner pour avoir des renseignements ; tout ce que vous avez à faire, c'est de les motiver et conclure la vente.

g) *Les événements sociaux organisés par l'entreprise*

Certaines entreprises offrent des cocktails chaque mois ou des soupers chaque année pour récompenser leurs clients les plus fidèles. D'autres offrent des promotions mensuelles et servent des rafraîchissements et des hors-d'œuvre pour augmenter le nombre des clients. Ces événements sont particulièrement courants chez les concessionnaires d'automobiles et dans les entreprises d'électronique.

h) *Les vendeurs non concurrentiels*

Si vous vendez des autos et qu'un autre vendeur vend des télévisions, vous pouvez profiter de ses listes de clients. En échange, vous lui fournissez les vôtres, autrement dit vous échangez des noms de clients.

i) *Les références des clients satisfaits*

Ce sont de loin les meilleures pistes que vous pouvez avoir ; elles viennent des clients satisfaits qui ont fait affaire avec vous et sont satisfaits de vos services ou de votre produit.

Il y a deux types de références. *Les références directes :* le client va appeler quelqu'un d'autre qui pourrait avoir besoin d'utiliser vos produits ou votre service. *Les références indi-rectes :* le client vous écrit une lettre de référence que vous montrerez à d'autres personnes ou il vous donne des noms de personnes qui pourraient être intéressées à votre produit ou vos services.

Les ventes les plus faciles à conclure proviennent des références parce que la confiance est déjà établie. Ces person-nes ont entendu parler de vous par vos clients satisfaits.

2. Les contacts trouvés

Votre compagnie ne vous fournira pas toujours des contacts. Même si c'est le cas, vous aurez besoin d'en augmenter le nombre. Voici 12 façons de trouver vos propres pistes.

a) *L'annuaire téléphonique*

Les annuaires téléphoniques, comme les pages jaunes, peuvent fournir des noms et des adresses. C'est une bonne source d'information pour les affaires locales, mais pas très efficace.

b) *La sollicitation directe ou communément appelée le* cold call

Cela consiste à contacter les gens sans rendez-vous. Cela veut dire que vous frappez aux portes sans connaître les besoins des gens, jusqu'à ce que vous trouviez un client. Les sollicita-tions directes peuvent servir à remplir les vides de votre horaire. Par exemple, si vous avez un rendez-vous qui est annulé à la dernière minute, faites des appels directs. Certains vendeurs croient vraiment en la sollicitation directe pour trouver d'éventuels clients. Peut-être que ça leur apporte des résultats, mais ce n'est pas très pratique.

c) *Les publications et les journaux*

Dans la section « affaires » des journaux, vous trouverez souvent des avis de nomination. Ceux-ci annoncent des promotions. Envoyez une carte de félicitations et faites le suivi pour obtenir un rendez-vous. D'autres sections, comme la section des sports, peuvent contenir des nouvelles des équipes sportives qui ont déménagé dans votre ville. Elles vont avoir besoin de nombreux produits ou services pour s'établir.

d) *Le marketing direct*

Cette technique sensibilise le client à votre produit ou service, entre autres, au moyen d'un envoi postal. La clé, c'est de faire un suivi téléphonique pour obtenir des rendez-vous. **Pour faire une meilleure impression, adressez vos enveloppes à la main.**

e) *Les foires et les expositions*

Elles sont organisées pour favoriser la création de réseaux. La plupart des foires sont accessibles au public ainsi qu'aux professionnels qui cherchent de l'information sur un produit ou un service précis. Qu'elles soient réservées aux profession-nels ou non, les foires et les expositions sont d'excellentes occasions de trouver de nouveaux clients.

f) *Les chaînes perpétuelles*

Lorsque vous rencontrez un client potentiel et que vous lui présentez votre produit ou service, vous pouvez lui demander s'il connaît d'autres personnes qui pourraient être intéressées par votre produit pour constituer une chaîne perpétuelle qui travaille pour vous. Ne lui posez pas de questions générales du genre « Est-ce que vous connaissez quelqu'un qui pourrait être intéressé par mon produit ? » Comme vous lui donnez un choix général, sa réponse sera « Pas vraiment » ou « Il ne m'en vient pas à l'esprit ». Soyez précis et facilitez-lui la tâche.

Choisissez un marché ou un investissement précis. Si c'est un golfeur, demandez-lui s'il connaît quelqu'un avec qui il joue au golf qui pourrait être intéressé par votre produit. La clé de la chaîne perpétuelle, c'est la précision. C'est différent des autres références, car le client ne vous fournit que des noms. Il ne s'engage en aucune manière dans le processus de référence.

g) *La nouvelle technologie*

N'importe quelle amélioration ou changement dans votre pro-duit ou service est aussi un argument de vente à utiliser aussi bien pour vos clients actuels que pour vos futurs clients. Vous pouvez leur téléphoner et les mettre au courant de la nouvelle technologie. Vos clients apprécieront l'information et penseront peut-être à changer leur ancien produit. Habituelle-ment, les clients sont curieux de voir la brochure qui présente la nouvelle technologie.

h) *Le facteur de vieillissement*

Chaque produit ou service, comme toute chose, est affecté par le facteur de vieillissement. Le **top vendeur** devra garder en mémoire la date d'achat d'un produit pour relancer la vente par la suite. La clé, dans le facteur de vieillissement, c'est d'évaluer le moment exact où il faut contacter les clients. Par exemple, dans le domaine de l'immobilier, le facteur de vieillis-sement est de trois à cinq ans ; c'est la période où les gens vont penser à changer de domicile. Dans les secteurs de l'auto-mobile, de l'équipement de bureau, de l'électronique, le facteur de vieillissement est de trois ans. Alors, restez en contact avec vos vieux clients et utilisez ce facteur avec efficacité. Appelez-les trois mois avant la date et mettez à jour votre liste tous les trois mois.

i) *Le club*

De nos jours, certains vendeurs se rencontrent chaque semaine ou chaque mois pour déjeuner ou dîner ; ils s'échangent des références. Suivez les mêmes principes, mais seulement, assurez-vous que vous échangez avec des **top vendeurs** qui proviennent de différents secteurs. Voici comment :

1. Choisissez cinq à huit compagnies qui réussissent ;

2. Appelez le directeur général ou le directeur des ventes ;

3. Informez-le que vous voulez créer un club réseau des **top vendeurs** du domaine et demandez-lui de vous désigner son meilleur vendeur. En général, les direc-teurs de compagnies aiment cette idée, car ça ne coûte pas cher et rapporte beaucoup.

Comment rendre le club productif :

1. Rencontrez-vous tôt le matin pour le petit déjeuner afin de ne pas perdre de temps.

2. Rencontrez-vous une fois par semaine dans un endroit facilement accessible et qui convienne à tous.

3. Échangez vos contacts, au minimum deux noms.

Ne mentionnez pas le nom du vendeur au client éventuel sans son autorisation, car dans le cas d'un échec, vous pourriez causer des problèmes aux membres du club.

j) *L'objectif des cinq milles*

Une des bases fondamentales pour trouver des pistes, c'est de faire la liste des compagnies des environs, c'est-à-dire celles qui sont situées géographiquement près de votre entreprise. Vous commencez par celles qui sont situées dans un périmètre d'un mille, puis de deux et ainsi de suite, jusqu'à ce que vous ayez entièrement couvert la région de cinq milles. La seconde étape consiste à faire des appels à ces compagnies pour connaître les noms des personnes qui prennent les décisions, et pour savoir si elles ont besoin de votre produit ou service. L'objectif de cinq milles peut être une excellente source de pistes, surtout si votre compagnie est connue dans votre région.

k) *Les amis*

Les amis sont aussi une bonne source de références. Ce sont des personnes qui achètent de tout, comme n'importe quel être humain. Cependant, faire affaire avec des amis est risqué parce que si un problème survient vous pouvez les perdre non seulement comme clients, mais aussi comme amis. Les amis peuvent être une excellente source de référence, mais vous devrez travailler deux fois plus fort pour les satisfaire et les fidéliser.

l) *L'adhésion à une association*

Adhérez à la Chambre de commerce de votre communauté, aux associations de vendeurs, de marketing et, dans certains cas, aux clubs de golf. Vous y serez remarqué et vous rencontrerez des gens qui sont là pour se détendre et rencontrer d'autres personnes.

C'est évident : partout où il y a quelqu'un, il y a un client éventuel. Quand on me demande dans mes séminaires « Comment et où trouvez-vous des pistes ? » Je réponds toujours : « N'importe où et partout. » Plus vous faites de choses, plus vous en aurez. Chaque personne est un client éventuel, et dans ce chapitre, je vous ai donné 21 façons de trouver des références, mais il y en a plus. L'idée est de se décider à agir. Engagez-vous fermement. Fixez-vous des objectifs concrets. Poursuivez-les et n'abandonnez pas. Trouver les pistes est la partie la plus facile, mais avant de rencontrer vos clients, vous devez les qualifier.

COMMENT ÉVALUER VOS CLIENTS POTENTIELS ?

Une fois que vous avez une liste de clients potentiels, la prochaine étape consiste à les évaluer.

Pour cela, il vous faut trouver :

a) Le point de vue de votre entreprise :
  – Pouvez-vous répondre aux besoins de ce client ?
  – Votre produit ou service l'aidera-t-il à augmenter sa productivité ?
  – Vos prix sont-ils concurrentiels et seront-ils intéressants pour lui ?

b) Le point de vue du client potentiel :
  – A-t-il besoin de votre produit ou service ?
  – À quand remonte son dernier achat d'un produit similaire ?
  – Qui lui a vendu ce produit et à quel prix ?
  – Qui prend les décisions d'achats ?
  – Prend-il les décisions seul ou avec quelqu'un d'autre ?
  – Peut-il payer et quelle est sa situation financière ?

Ces questions vont déterminer si votre client éventuel répond à vos critères ou non. Le vendeur moyen s'enthousiasme à trouver un client, mais va perdre son temps si celui-ci n'a pas besoin de son produit ou se retire des affaires.

Laissez-moi vous donner un exemple. Quand je suis devenu directeur général de mon entreprise, je voulais développer le marché corporatif. J'ai alors fait une liste de toutes les entreprises de ma région ; j'étais très excité par leur nombre. J'ai contacté ces entreprises et j'ai obtenu un rendez-vous avec une entreprise pharmaceutique.

Mon approche était une réussite, ma présentation était bonne, et la seule chose que mon client éventuel dit fut : « Monsieur Elfiky, votre approche et votre présentation étaient excellentes et j'aimerais faire affaire avec vous, mais mon entreprise traverse des difficultés financières et elle vient d'être achetée par une autre compagnie qui a décidé de fermer ce bureau. » Imaginez à quel point j'étais embarrassé. J'avais perdu tout mon après-midi avec quelqu'un qui se retirait des affaires ! Dans d'autres cas, les compagnies peuvent déménager ou n'ont pas besoin de votre produit.

Trouver des pistes n'est pas le problème. Cependant ça peut être un problème si :

1. Le client potentiel n'a pas besoin de votre produit et que vous avez tous les deux perdu votre temps ;
2. La personne ne décide pas des achats ;
3. Le client a des difficultés financières et ne peut pas payer la facture, de sorte que vous créez des problèmes à votre propre compagnie.

Voici comment évaluer vos clients potentiels :

1. Par le contact indirect

Les appels téléphoniques sont la principale manière de définir un client potentiel.

a) Appelez l'entreprise et demandez le nom de celui qui prend les décisions.
b) Faites épeler son nom.

c) Demandez s'ils ont besoin de votre produit ou de votre service. Vous serez surpris de voir combien de renseignements vous pouvez obtenir de la réceptionniste ou de la secrétaire.

d) Appelez les fournisseurs qui font affaire avec cette entreprise pour connaître sa capacité de payer.

e) Obtenez de l'information sur l'entreprise. Cette information vous aidera beaucoup quand vous allez rencontrer le client.

2. Par le contact direct

Dans certains cas, le contact peut être direct, comme dans l'industrie de l'automobile, de l'électronique, de l'équipement de bureau, l'immobilier, etc.

En posant des questions, vous pouvez déterminer leur capacité de paiement et savoir s'ils ont ou non un besoin.

Exemple :

- « Est-ce que ça va être comptant ou porté à votre compte ? »
- « Êtes-vous locataire ou propriétaire ? »
- « Êtes-vous propriétaire de votre entreprise ? Depuis combien de temps ? »
- « À part vous, qui prend les décisions ? »

Comme je l'ai déjà mentionné, trouver une piste est simple, mais la difficulté réside dans l'évaluation de ces pistes. Malheureusement, la plupart des vendeurs perdent cela de vue et croient au vieil adage : « Plus vous rencontrez de gens, plus vous gagnez. » Ceci peut être vrai, mais mieux vaut : **trouver, évaluer, rencontrer, puis gagner plus.**

CHAPITRE

L'approche

*L'approche est la stratégie ou
la tactique utilisée par les top vendeurs
pour établir la confiance et la relation
avec le client éventuel.*

Ibrahim Elfiky

Normalement, il n'est pas difficile d'obtenir un rendez-vous, mais l'important, c'est d'établir une relation avec le prospect et faire en sorte que la rencontre se déroule bien.

LES 11 PRINCIPAUX TYPES DE CLIENTS

Pour assurer la réussite de votre approche, il est important de connaître les types de clients avec qui vous faites affaire. Les 11 types de clients les plus courants sont :

1. Le type penseur

Il est silencieux, réservé, écoute attentivement la présentation sans dire un mot. Il vous analyse constamment. En faisant affaire avec le penseur, vous avez besoin de gagner sa confiance. Une façon de le faire, c'est de parler de la famille. Montrez-lui que vous connaissez bien votre produit et que vous y croyez. Le penseur est une excellente personne pour conclure une vente et c'est souvent un membre utile pour votre réseau.

2. Le type positif

Il est d'accord avec vous tout au long de la présentation, sourit et hoche la tête, paraît intéressé, juste pour se débarrasser de vous. En faisant affaire avec un client positif, vous avez besoin d'être direct. Montrez-lui les avantages de votre produit, faites en sorte qu'il s'enthousiasme et qu'il participe. C'est un bon client pour conclure une vente si vous piquez sa curiosité.

3. Le type négatif

Il a tendance a être en désaccord avec tout ce que vous dites. Méfiant de nature, il doute de votre information et va comparer votre produit et celui avec lequel il a eu une mauvaise expérience. D'habitude, il répond par non et argumentera avec vous pour n'importe quelle raison. Pour faire affaire avec le type négatif, il faut d'abord comprendre qu'il a des problèmes émotifs. Donnez-lui tout votre soutien. Ne prêtez pas attention à ses réactions négatives. Faites-lui sentir que vous êtes de son côté. Faites-lui une bonne présentation et un bon prix. Le type négatif ne peut pas résister à une bonne affaire.

4. Le type gentil

Il est poli, agréable, il a un beau sourire, l'esprit ouvert, et veut être traité de la même façon. Il n'aime pas être poussé. Pour faire affaire avec le type gentil, soyez poli, agréable, et logique. Montrez vos connaissances et votre professionnalisme. C'est un type excellent pour conclure une vente même s'il vous affirme le contraire.

5. Le type généralisateur

Il ne se soucie pas des détails, mais regarde l'ensemble. Il semble ne pas être intéressé et n'aime pas être poussé. Il aime faire les choses à sa façon, et quand bon lui semble. Pour faire affaire avec le type généralisateur, évitez les présentations détaillées, ne le noyez pas de renseignements. Éveillez sa curiosité et son enthousiasme à propos de votre produit.

6. Le type précis

Il aime analyser votre information et cherche toujours des détails. Il peut vous faire sentir que vous n'avez pas assez de renseignements ou de connaissances à propos de votre produit. Il veut savoir si vous êtes sûr de vous et évalue vos connaissances. Pour faire affaire avec le type précis, soyez rapide, écoutez-le bien, soyez sincère, montrez-vous patient en répondant à ses questions et faites-lui une présentation détaillée.

7. Le type fonceur

Il parle avec autorité, utilise des mots comme « accomplir », « objectifs », et répète « Je veux », « J'ai besoin ». En principe, il est sérieux, mais agréable. Il cherche les faits et peut prendre une décision rapide s'il est convaincu que votre produit améliorera sa performance et ses résultats. Il n'aime pas la routine. Pour faire affaire avec le type fonceur, montrez-vous confiant, faites-lui une bonne présentation, prenez le même ton de voix, utilisez les mots avec lesquels il s'exprime, par exemple : « Ce produit va vous aider à obtenir d'excellents résultats. » Soyez sincère. S'il vous fait confiance, il agira vite.

8. Le type craintif

L'opposé du précédent, il veut toujours éviter les problèmes. Il est méfiant et doute de tout. Il ne veut pas prendre de décisions seul. Il voudrait qu'une autre personne les prenne pour lui. Puisqu'il ne veut pas prendre de décisions seul, s'il le fait, il demande conseil. Il n'achète rien pour éviter des problèmes. Pour faire affaire avec le type craintif, soyez sincère, vif, et procédez lentement. Utilisez des mots comme « éviter ». Par exemple : « Ce produit vous évitera des coûts en sus. » Montrez-lui des lettres de clients satisfaits. Normalement, il prend plus de temps afin d'être sûr que sa décision est la bonne.

9. Le type jeune

Ce peut être un jeune couple qui vient de se marier ou qui va se marier. Ce type de client est plus aventurier, dynamique, enthousiaste, il veut en faire plus que les autres du même âge et, souvent, aura besoin d'un plan de financement. Pour faire affaire avec le type jeune, montrez du dynamisme et de l'enthousiasme. Faites une présentation spectaculaire. Soyez sûr de vous. Faites-leur sentir qu'ils ont fait l'affaire de leur vie et travaillez avec eux pour obtenir un plan de financement.

10. Le type adulte

Il a de 40 à 50 ans, une famille et un travail. Il est bien éduqué et cherche à améliorer son avenir. Il recherche les meilleurs produits et aime sentir qu'il prend la bonne décision. Pour faire affaire avec le type adulte, complimentez-le sur ses décisions, faites-le se sentir supérieur et devenez son ami. Il faut qu'il fasse confiance à votre présentation professionnelle.

11. Le type d'un certain âge

Il a une vaste expérience et beaucoup de temps. Normalement, il pense que vous voulez profiter de lui. Ce qui est important pour lui, c'est de sentir qu'on a besoin de lui. Peut-être qu'il demandera à sa famille et à ses amis de l'aider à prendre une décision. Pour faire affaire avec le type d'un certain âge, soyez très patient et bien disposé à écouter les histoires de sa vie. Soyez sincère, amical, et fournissez-lui assez de faits pour qu'il vous fasse confiance et se sente en sécurité avec vous. Procédez lentement avec lui.

LES 2 COMPOSANTES DE L'APPROCHE

1. Comment prendre contact avec un client potentiel

Après avoir planifié la vente, planifié les pistes, étudié les genres de clients et la façon de négocier avec eux, le **top vendeur** se met en contact avec le client potentiel. Pour ce faire, il utilise les approches suivantes :

a) Le téléphone (l'art d'utiliser le téléphone)

Le **top vendeur** connaît les pouvoirs du téléphone. C'est un des outils les plus puissants. Même s'ils se rendent compte qu'ils peuvent augmenter leurs ventes et leurs revenus de façon considérable en utilisant le téléphone, pourquoi les vendeurs préfèrent-ils recevoir un appel plutôt que d'en faire un ?

La réponse est la peur. Peur d'échouer, peur d'être rejeté, peur de l'inconnu. Les vendeurs craignent le téléphone. Ce n'est pas une phobie ou encore parce que le téléphone est un engin terrible à utiliser. Ces vendeurs ne maîtrisent tout simplement pas les techniques de son utilisation. Ils ne sont pas entraînés de manière à ce que le téléphone deviennne leur meilleur ami.

Faire l'appel

Normalement, quand vous faites un appel, une réceptionniste vous répond. Si les appels que vous faites à un client potentiel sont filtrés, vous n'aurez pas la possibilité de lui parler et sa secrétaire vous dira : « Il est en réunion, est-ce que vous voulez laisser un message ? »

Comment contourner la secrétaire ?

1. Nommez-vous et présentez votre compagnie.
2. Faites-lui un compliment sur la rapidité du service, la courtoisie avec laquelle on vous a répondu…
3. Ayez l'air sûr de vous comme si vous connaissiez le client.
4. Dites : « J'ai quelque chose pour monsieur X qui l'aidera à augmenter ses profits. »
5. Utilisez la commande cachée : « J'apprécierais que vous préveniez monsieur X que je suis au téléphone. »

Si son patron est vraiment en réunion, la secrétaire vous le dira, sinon, elle vous mettra en attente pendant qu'elle lui demande s'il veut prendre l'appel. Il le fera peut-être, sinon, il demandera à sa secrétaire de prendre un message. Si votre client potentiel ne prend pas l'appel, montrez-vous toujours confiant et dites : « Je comprends qu'il soit occupé. Je le rappellerai cet après-midi. Est-ce que 15 heures ou 16 heures lui conviendrait ? »

La secrétaire vous dira quand appeler. Maintenant, cette personne sait qui vous êtes et que vous allez l'appeler à une certaine heure. Comme tout être humain, il sera curieux de savoir ce que vous avez à offrir.

Le client potentiel est au bout du fil...

Votre but, en faisant cet appel, c'est d'obtenir un rendez-vous pour rencontrer votre client. Voici comment :

1. Souriez, et prenez un ton agréable et confiant.
2. Utilisez le nom de la personne immédiatement.
3. Remerciez-la de vous avoir répondu.
4. Présentez-vous. Dites votre nom et celui de votre entreprise.
5. Pour commencer, piquez sa curiosité : « Monsieur Lapointe, j'ai quelque chose qui va vraiment vous aider à augmenter vos profits et à réduire vos coûts. Est-ce que cela vous intéresse ? »
6. Dites : « J'ai seulement besoin de 15 minutes de votre temps. »
7. Posez une question avec choix : « Qu'est-ce qui vous convient le mieux ? Mardi ou mercredi ? » et « À 15 heures ou à 16 heures ? »
8. Employez son nom. Ayez toujours l'air confiant et remerciez-le pour le rendez-vous.

S'il ne vous semble pas intéressé, dites : « Monsieur Lapointe, ces 15 minutes pourraient être votre meilleur investissement cette année. Je peux vous assurer que ce sera très intéressant pour vous et votre entreprise. »

Recevoir l'appel de vente : « ventes internes »

Quand vous recevez un appel de vente, votre but est de connaître le nom de la personne qui téléphone, de lui donner un rendez-vous et d'obtenir son numéro de téléphone. Voici comment :

1. Décrochez après la deuxième ou troisième sonnerie. Répondre après la première sonnerie démontre que vous êtes anxieux. Plus que trois sonneries fait mauvaise impression.

2. Répondez avec le sourire, soyez aimable et confiant.

3. Présentez-vous ainsi que votre entreprise et prenez le nom de la personne qui appelle. Exemple : « Merci d'avoir appelé Ramses international. Jean à l'appareil. Puis-je vous demander qui appelle ? » De cette manière vous obtiendrez le nom.

4. Servez-vous du nom tout de suite et demandez ce que vous pouvez faire pour lui. Exemple : « Comment est-ce que je peux vous aider, Madame Gagné ? »

5. Montrez de l'intérêt.

6. Ne mettez jamais l'appel en attente à moins que :
   – Vous n'ayez déjà établi une relation avec ce client ;
   – Vous n'ayez demandé son autorisation ;
   – Vous ayez vraiment besoin d'information.

   Ne laissez jamais la personne en attente pendant plus de 15 secondes.

7. Répondez à ses questions, par une des vôtres, pour connaître ses besoins. Exemple : « Est-ce que vous faite la livraison le samedi ? » Répondez : « Est-ce que vous préférez le samedi ? »

8. Quand vous lui donnez un rendez-vous, pour venir vous voir, assurez-vous qu'il sait comment se rendre chez vous et représentez le nom de votre compagnie, le vôtre et le numéro de téléphone.

9. Prenez son numéro de téléphone en prétextant, pour l'obtenir, l'éventualité d'une urgence : « Monsieur, en cas d'urgence, si je devais annuler le rendez-vous, comment pourrais-je vous rejoindre ? »

Utiliser le téléphone est amusant, et vous devez pratiquer jusqu'à ce que ça devienne pour vous une seconde nature.

b) Les lettres personnalisées

Il est connu que 2 % des gens, en moyenne, répondent au marketing direct et aux lettres personnalisées. Cette méthode sera plus efficace si vous faites un suivi téléphonique qui montera cette moyenne à 10 %. Souvent, ce type de courrier est jeté directement à la poubelle. Dans certains cas, c'est la secrétaire qui décide du courrier à donner au patron. Il se peut que votre client potentiel ne lise jamais la lettre que vous lui avez envoyée. Mais votre but est qu'il en prenne connaissance...

Comment contourner la secrétaire ?

1. Écrivez l'adresse ; la lettre sera personnelle.

2. Écrivez « Personnel ou Confidentiel » sur l'enveloppe.

3. Placez un auto-collant « Urgent » sur l'enveloppe.

4. Faites-le proprement et simplement.

Il est aussi important :

1. De bien écrire le nom.

2. D'écrire la bonne adresse.

3. De s'assurer que la personne qui reçoit la lettre est la personne autorisée à prendre les décisions.

4. De rendre la lettre attrayante et créative.

c) La vente directe

Dans la vente, vous devrez faire des rencontres sans préparation. Il vous arrivera de rencontrer quelqu'un sans préavis. Les raisons sont nombreuses :

1. Vous avez téléphoné à un client potentiel plusieurs fois, laissé des messages, envoyé des lettres, mais il ne vous a pas répondu. Vous décidez donc de lui rendre visite.

2. Un de vos rendez-vous est annulé et vous décidez de ne pas perdre de temps et de visiter d'autres personnes dans le même secteur.

Si vous devez faire des rencontres sans préparation, vous devez savoir que vous aurez affaire à la secrétaire ou à la réceptionniste et que vous devrez répondre à la fameuse question : « Avez-vous un rendez-vous ? » Vous avez alors le choix entre deux choses :

- Vous pouvez mentir, mais si la secrétaire découvre la vérité, vous perdrez votre crédibilité et la possibilité de rencontrer votre client.

- Vous pouvez dire la vérité et répondre « non » ; elle vous demandera de prendre rendez-vous et vous en serez à votre point de départ.

Comment contourner la secrétaire ?

1. Présentez-vous. Dites votre nom et celui de votre entreprise.

2. Faites-lui des compliments sur son dynamisme, sa cordialité et son sens de l'organisation.

3. Offrez-lui un cadeau promotionnel (stylo ou calendrier). Si cela est indiqué !

4. Commencez par : « J'ai quelque chose pour monsieur X qui va augmenter ses profits. Il sera très content de savoir ce que j'ai pour lui. »

5. Utilisez la commande cachée : « J'apprécierais que vous préveniez monsieur X que je l'attends. »

S'il est vraiment occupé, la secrétaire vous répondra honnêtement et puisque vous êtes déjà en relation avec elle, elle vous aidera à rencontrer son patron. Essayez d'obtenir autant de renseignements que vous le pouvez pendant ces 10 minutes. Profitez-en pour demander à la secrétaire des détails sur l'entreprise, sur le patron, et regardez autour de vous. Ces 10 minutes peuvent être précieuses si vous les utilisez intelligemment.

Comme vous le constatez, il n'est pas difficile d'obtenir un rendez-vous. Mais cherchez-vous la quantité ou la qualité ? Le **top vendeur** comprend la règle du jeu.

1. Pour 10 appels, vous aurez 10 % de réussite, donc, un rendez-vous.

2. Si vous travaillez 5 jours par semaine, et que vous faites 50 appels à un taux de réussite de 10 %, vous obtiendrez 5 rendez-vous.

3. En utilisant le même taux de 10 % pour les ventes, vous conclurez une vente.

L'idée est simple. Quand vous cherchez la quantité, vous devez travailler deux fois plus fort pour réussir vos ventes. Mais si vous visez la qualité, une bonne planification vous aidera à conclure des ventes de qualité. Le **top vendeur** a déjà établi sa clientèle et utilisé des références, mais il continue toujours à développer ses ventes. Il aime être un **top vendeur** !

2. La rencontre

Avez-vous déjà ressenti de l'antipathie pour une personne que vous rencontrez la première fois ? Vous êtes-vous jamais demandé pourquoi ? Maintenant, pensez à la situation contraire. Avez-vous déjà ressenti de la sympathie pour une personne que vous rencontrez la première fois ? Vous étiez à l'aise et aviez confiance en elle. Il est courant d'entendre dire que l'on aime ou que l'on n'aime pas quelqu'un dès qu'on le rencontre, même si on ignorait tout de cette personne. Très souvent dans le domaine de la vente, un vendeur juge le client éventuel au premier coup d'œil. Ce jugement détermine toute la rencontre. Dites-vous que votre dialogue interne affecte vos sentiments et vous pousse à juger rapidement. N'oubliez pas que vous n'aurez jamais une seconde chance de faire une première impression.

La rencontre est ce que vous recherchez depuis le début. Le **top vendeur** comprend qu'il est prioritaire d'établir une bonne relation. Dès qu'il rencontre un client potentiel, le vendeur doit essayer de sympathiser avec lui afin de le mettre à l'aise et en confiance. Cette mise en scène créera une relation qui va déterminer la qualité de votre rencontre et influencera une décision d'achat.

QU'EST CE QU'UNE RELATION ?

La relation, c'est l'art d'obtenir le soutien des autres, de se mettre à leur niveau, d'employer le même langage et de les amener à faire ce que vous voulez. C'est une stratégie pour une communication prospère et une base sur laquelle nous bâtissons nos capacités à influencer d'autres personnes.

a) La magie de la relation

Comment tirer profit de la stratégie de votre client potentiel ?

Nous sommes reliés au monde extérieur par nos cinq sens et nous les utilisons selon les situations. Les yeux de votre interlocuteur peuvent être très révélateurs. Ils vous permettront de découvrir le chemin par lequel un client potentiel se représente le monde extérieur. La science de la programmation neurolinguistique (PNL) appelle cela le « système de la représentation ».

LE SYSTÈME DE LA REPRÉSENTATION

Visuel Voir	**auditif** entendre	**kinesthésique** ressentir	**olfactif** sentir	**gustatif** goûter

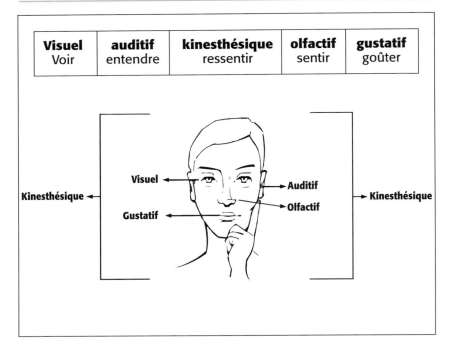

L'OLFACTIF ET LE GUSTATIF
SONT INTÉGRÉS AU KINESTHÉSIQUE

LES MOUVEMENTS OCULAIRES
(DU POINT DE VUE DE L'OBSERVATEUR)

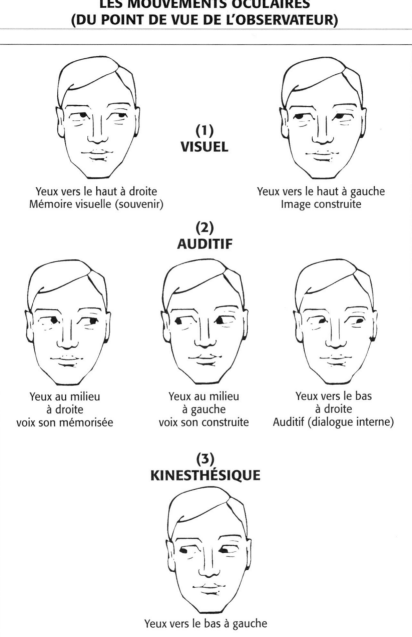

**(1)
VISUEL**

Yeux vers le haut à droite
Mémoire visuelle (souvenir)

Yeux vers le haut à gauche
Image construite

**(2)
AUDITIF**

Yeux au milieu
à droite
voix son mémorisée

Yeux au milieu
à gauche
voix son construite

Yeux vers le bas
à droite
Auditif (dialogue interne)

**(3)
KINESTHÉSIQUE**

Yeux vers le bas à gauche

Le système de la représentation

On distingue 3 catégories :

1. Le visuel

La personne visuelle respire profondément de la poitrine. Ses paroles sont rapides et elle utilise des mots et des phrases qui évoquent images et couleurs.

Exemple :
- Je vois ce que vous voulez dire.
- Pouvez-vous voir mon point de vue ?
- Votre idée m'a l'air bien.
- Concentrons-nous sur les détails.
- Je veux voir l'image d'ensemble.
- Mon point de vue...

2. L'auditif

La personne auditive respire depuis le centre de la poitrine. Elle aime être impressionnante et elle veut entendre les choses plutôt que de les voir. Elle utilise des mots et des phrases qui représentent des sons.

Exemple :
- Dites-moi ce que vous voulez dire.
- Ça sonne bien.
- Cela a un air familier.
- Je ne vous ai pas bien entendu.
- Cela sonne faux.
- C'est une idée fracassante.

3. Le kinesthésique

La personne kinesthésique respire faiblement, de l'estomac. Sa voix est grave et elle utilise des mots et des phrases qui touchent aux émotions.

Exemple :
- Votre idée m'a vraiment touché.
- L'idée me laisse froid.
- Je ne me sens pas touché par ce concept.

En psychologie, ces systèmes viennent chacun d'un processus différent, et le **top vendeur** sait comment rejoindre le système représentatif de son client potentiel, saisir sa stratégie et faire en sorte qu'il se sente bien.

Exemple de visuel :

Client :	Je veux avoir une image d'ensemble.
Top vendeur :	C'est ce que je vais vous montrer.

Exemple d'auditif :

Client :	J'ai déjà entendu cette chanson.
Top vendeur :	Que puis-je vous dire d'autre ?

Exemple de kinesthésique :

Client :	Cette façon d'agir me fait frissonner.
Top vendeur :	Ça ne vous touchera pas.

b) L'identification à l'autre

L'identification à l'autre est un moyen d'établir la confiance et la crédibilité. C'est une façon d'être comme l'autre personne en utilisant les mêmes phrases, le même langage corporel, les mêmes gestes, le même ton et la même croyance. Quand vous êtes en face de l'autre personne, vous projetez effectivement « Je suis comme vous ; vous êtes en sécurité avec moi. Vous pouvez avoir confiance en moi. »

La formule de l'identification à l'autre

Si je suis comme vous, vous m'aimez ;

Si vous m'aimez, vous allez être d'accord avec moi ;

Si vous êtes d'accord avec moi, vous allez avoir confiance en moi ;

Si vous avez confiance en moi, vous allez vouloir acheter.

C'est comme dire « Les choses semblables attirent les choses semblables » et « Qui se ressemble s'assemble ».

Comment vous sentez-vous quand vous rencontrez quelqu'un qui est complètement différent de vous, qui n'a pas les mêmes points de vue, et qui n'est pas d'accord avec ce que vous dites ? Naturellement, vous ne vous sentez pas à l'aise. La bonne communication est basée sur le partage des points de vue, sous une forme ou sous l'autre, et sur l'identification à l'autre. Utilisez le pouvoir de persuasion.

Rappelez-vous :

- 7 % de la communication est verbale
- 38 % de la communication passe par le ton de la voix
- 58 % de la communication passe par le langage corporel

Si vous demandez à quelqu'un comment il va et qu'il répond « ça va » avec une voix basse et qu'il a l'air déprimé, est-ce que vous allez croire qu'il va bien ? Bien entendu que non. De plus, ses gestes, son ton de voix et son langage corporel vous font comprendre qu'il ne va pas bien.

Comment fonctionne l'identification à l'autre ?

1. *Les mots et les phrases :* si votre client utilise souvent le mot « magnifique », imitez-le et utilisez-le aussi ;
2. *Le langage corporel :* s'il croise ses jambes, croisez les vôtres. S'il fait souvent des gestes avec ses mains ou s'assoit d'une façon détendue, faites la même chose ;
3. *Le ton de la voix :* s'il devient plus heureux et parle plus rapidement, parlez plus rapidement aussi ; s'il ralentit, faites de même ;
4. *Le volume de la voix :* si sa voix est haute ou calme, imitez-le. En fait, quand vous imitez quelqu'un qui parle haut, il devient plus tranquille ;
5. Les croyances et les opinions : dans la mesure où elles n'affectent pas votre intégrité, vous pouvez « adopter » ses croyances et ses opinions.

Lorsque la relation est très bonne et que vous imitez l'autre personne, cela peut avoir pour effet qu'il vous suive et vous imite. N'avez-vous jamais bâillé après avoir vu quelqu'un bâiller ? Le but de l'identification est double :

1. Établir une relation en imitant votre client potentiel ;
2. Le conduire à votre prochaine étape.

Pour établir une relation, identifiez-vous à l'autre, mais une fois la relation établie, mettez-vous à diriger.

Comment diriger ?

Quand vous imitez votre client et que vous voyez que vous avez créé l'atmosphère désirée, laissez tomber un bras ou changez de position. S'il fait la même chose, c'est que vous menez, et la voie est maintenant ouverte pour que vous puissiez vous diriger vers la deuxième étape. Sinon, continuez l'imitation et soyez plus créatif dans votre façon de diriger. Rappelez-vous ! Si vous voulez diriger, imitez l'autre, faites d'abord comme lui et il vous suivra.

Les 14 trucs pour établir une relation immédiate, même avec les personnes les plus difficiles

1. Soignez votre apparence pour réussir

J'ai déjà parlé de l'importance de l'apparence dans la partie « Planification de la vente ». Votre apparence est la première chose que votre interlocuteur va remarquer. Normalement, quand nous sommes bien habillés, nous nous sentons bien. N'oubliez pas de vous habiller selon les circonstances. Autrement dit, si vous rencontrez un client conservateur, habillez-vous en conséquence. Si vous rencontrez quelqu'un dans un club de golf, n'allez pas au rendez-vous en habit de soirée.

2. Souriez avec sincérité et chaleur

Quand vous souriez, vous vous détendez. Dans mes séminaires, des vendeurs disent : « Sourire ? C'est facile pour vous de le dire, mais quand je suis bouleversé ou préoccupé, je ne peux pas le faire. » Ma réponse est simple : « Alors cherchez un autre travail où vous n'aurez pas à sourire. »

La vente, c'est comme le *show business*, et le **top vendeur** connaît la valeur d'un sourire chaleureux. Il n'a pas seulement l'air amical, mais il prépare aussi la scène et crée le climat désiré.

3. Donnez une poignée de main ferme

N'avez-vous jamais rencontré quelqu'un qui, en vous serrant la main, l'a presque écrasée ? Comment vous sentiez-vous ? Vous ne devez ni écraser la main de votre client ni offrir une main molle. Serrez la main fermement, mais de façon agréable.

4. Présentez-vous et présentez votre entreprise

Ceci doit être fait en même temps que vous tendez la main à votre client. Si vous avez un nom peu ordinaire, vous pouvez l'utiliser à votre avantage pour que le client s'en souvienne. Par exemple : « Mon nom est Barazin comme une barre à raisin ou Elfiky comme elle fait qui. »

5. Donnez votre carte d'affaires

Serrer la main, présenter votre entreprise et donner votre carte d'affaires vont ensemble et doivent s'enchaîner. N'attendez pas que le client vous demande votre carte.

6. Laissez-le prendre l'initiative

Par exemple, demandez-lui la permission de vous asseoir. Vous lui donnerez ainsi l'impression de contrôler la situation.

7. Faites-lui un compliment

Le psychologue William James a dit : « Le principe le plus profond de la nature humaine est le désir d'être apprécié. » Votre prospect aime être apprécié, mais soyez sincère dans vos compliments. Par exemple : « Félicitations ! Vous êtes vraiment organisé. » Vous pouvez utiliser son apparence, son complet, ou son aspect physique, mais le plus important, c'est d'être sincère.

8. Montrez-lui que vous appréciez le temps qu'il vous consacre

Commencez par : « Monsieur X, ma compagnie et moi savons que votre temps est précieux et nous vous assurons que cet entretien vous sera profitable. »

9. Parlez avec confiance et demandez à poursuivre

Rappelez-vous que votre client potentiel a probablement rencontré plusieurs vendeurs avant vous et il pourrait détecter dans votre voix et dans votre comportement que vous êtes confiant ou non. Soyez persuasif. Lorsque vous demandez à poursuivre, cela déterminera son opinion sur votre attitude.

10. Écoutez attentivement

Dieu nous a créés avec une bouche et deux oreilles pour qu'on écoute deux fois plus qu'on ne parle. Malheureusement, cette règle n'est pas suivie par le vendeur moyen qui ne peut se tenir silencieux plus de cinq secondes. Il n'écoute pas. Il attend simplement son tour et va parfois terminer la phrase de son client. Le **top vendeur** connaît le pouvoir de l'écoute. Il va écouter et comprendre. Il va encourager le client à parler en montrant de l'intérêt pour le sujet, en posant des questions, et en identifiant ses besoins.

11. Regardez le client droit dans les yeux

Avez-vous déjà parlé à quelqu'un qui ne vous regardait pas, qui regardait les meubles, le plafond ou son stylo ! Comment vous sentiez-vous ? Certainement mal à l'aise. La même chose se passe avec votre client. Si vos yeux sont occupés à mesurer son bureau, il peut penser que vous cachez quelque chose, ou que vous n'êtes pas sûr de vous ou pas vraiment intéressé. Le contact des yeux est une des bases de la relation.

12. Identifiez son type

J'ai déjà décrit les différents types de clients ; en les connaissant, vous pourrez avoir une rencontre productive qui vous permettra de conclure la vente.

13. Découvrez sa stratégie

Comme vous le savez maintenant, il y a trois différents systèmes représentatifs : visuel, auditif et kinesthésique. Utilisez cette connaissance pour vous mettre au niveau de votre client et imitez sa stratégie.

14. Utilisez le pouvoir de la persuasion par l'identification

Observez votre prospect, imitez son comportement, son langage et son ton de voix. Ce sont des outils très efficaces et vous verrez que vos rencontres seront des réussites.

LES 11 ATTITUDES À ÉVITER QUAND
VOUS RENCONTREZ UN CLIENT POTENTIEL

1. Porter des lunettes de soleil. Vous ne pourrez regarder votre client dans les yeux et il pensera que vous cachez quelque chose.

2. Fumer. S'il ne fume pas, vous pouvez perdre la vente parce qu'il se sent mal à l'aise. S'il fume, vous pouvez demander sa permission et l'imiter.

3. Utiliser un stylo à encre rouge. Le rouge représente le sang, le danger, le hasard, l'urgence et l'arrêt. Son subconscient va capter très vite le signal du danger.

4. Se plaindre d'un autre client, de votre travail, de votre patron, etc. Évitez de vous plaindre. Votre client va supposer que vous vous plaindrez de lui également.

5. Critiquer la concurrence. Soyez assez sincère et professionnel pour mentionner les qualités du produit concurrent et utilisez-le pour montrer la supériorité du vôtre.

6. Aborder des sujets négatifs comme la religion, la race, la politique et les impôts. Cela pourrait mener à un conflit d'opinion et nuire à la vente.

7. Avoir un mauvais langage (l'utilisation de mots grossiers). Ces mots vont vous nuire et donner une mauvaise impression.

8. Utiliser des mots trop familiers. Certains vendeurs croient que parler de cette façon va créer un lien avec le client, mais en réalité, l'impression sera mauvaise.

9. Avoir des manies : faire craquer ses articulations, jouer dans ses cheveux, se ronger les ongles ou s'interrompre.

10. Mâcher de la gomme. Vous pouvez juger par vous-même. Quand quelqu'un vous parle avec de la gomme dans la bouche, que pensez-vous ?

11. Avoir des tics de langage, du genre « vous savez », « à vrai dire », « ... ou presque » et « peut-être ».

CHAPITRE 4

La présentation

Aucune décision n'est difficile
à prendre si l'on connaît
tous les faits.

Horace

Nous écoutons avec seulement 25 % d'efficacité. Nous avons besoin que l'information soit répétée au moins trois fois pour qu'elle soit reçue et emmagasinée dans notre esprit ; après quoi, nous n'en retiendrons au maximum que 60 %. La répétition est donc la clé.

Le top vendeur connaît ces règles. Quand il rencontre un client, il établit une relation, gagne sa confiance, lui donne une image positive de son produit et l'amène au cœur de la présentation.

LE MOMENT DE VÉRITÉ

La présentation, c'est le moment de vérité pour le **top vendeur**. Il sait que la vente, c'est du *show business*, qu'il est un acteur et que son entourage appuie son spectacle. Il sait aussi qu'une minute, c'est trop, quand on attend l'autobus ou le métro, mais que deux heures passent très vite quand on regarde un bon film. Il en est de même pour sa présentation.

Les gens sont ce qu'ils croient

Si les gens croient qu'ils aiment votre produit ou votre service, ils vont l'acheter ; en contrepartie, s'ils croient ne pas l'aimer, ils ne l'achèteront pas. Le top vendeur sait cela et le défi est de créer un besoin. Le client devra voir, entendre et sentir tous les avantages du produit pour que le top vendeur arrive à son objectif : conclure la vente.

Qu'est-ce que la présentation ?

La présentation est la manière de donner l'information. Les idées sont organisées de façon très positive, puis présentées au client de manière à ce qu'il les accepte. Après les recommandations du vendeur, le client prend la décision d'acheter.

**LA PRÉSENTATION EST COMME UN COSTUME.
ELLE DOIT ÊTRE FAITE SUR MESURE
POUR CONVENIR À CHAQUE CLIENT POTENTIEL.**

Les types de présentation

Il existe plusieurs types de présentation. La vente est un domaine très large et certains de ces types ne conviennent qu'à un produit ou un service particulier. Les trois principaux types sont :

a) La présentation enregistrée (apprise par cœur)

Comme son nom l'indique, elle est entièrement organisée et préparée par l'entreprise, et créée comme une méthode standard. L'entreprise forme ensuite les vendeurs à l'utiliser pour vendre. Les vendeurs n'ont aucun champ libre pour modifier leur présentation. Ils doivent l'apprendre par cœur. La présentation enregistrée est surtout créée pour vendre des articles à bas prix par téléphone ou pour faire du porte-à-porte (revues ou encyclopédies). La présentation enregistrée est le type de présentation le moins efficace et le moins souple.

b) La présentation constructive (résolution de problèmes)

Dans ce type de présentation, le vendeur et son client explorent ensemble le problème et les solutions. C'est une méthode efficace et souvent utilisée, mais qui présente de nombreux désavantages :

1. Il manque certaines parties et elle n'est pas au point ;
2. Il faut plus de temps pour arriver à une entente ;
3. Il peut arriver que le vendeur soit pris au dépourvu s'il n'a pas prévu une objection ;
4. Il est difficile de former les vendeurs à cette méthode ;
5. Il faut des vendeurs ayant de l'expérience et étant hautement qualifiés, qui travaillent avec une clientèle établie.

c) La présentation organisée ou planifiée

Ce type de présentation est de loin le plus efficace ; il est utilisé par la plupart des entreprises. Dans la présentation planifiée, les vendeurs ont la possibilité de choisir leurs moyens et leurs mots, mais en même temps, ils suivent un plan ou une liste de contrôle. Dans la présentation planifiée, le vendeur oriente le client vers quatre étapes appelées **AIDA** :

Attention :	obtenir l'attention du client potentiel ;
Intérêt :	faire en sorte qu'il s'intéresse au produit ou au service ;
Désir :	lui faire désirer le produit ;
Action :	faire en sorte qu'il agisse et achète le produit.

Le **top vendeur** connaît l'importance de chaque présentation et il utilise toute la souplesse de la présentation planifiée. Elle n'est jamais enregistrée.

La démonstration

Les êtres humains acquièrent plus de 80 % de leur connaissance par l'intermédiaire du sens de la vue. La démonstration, qui traduit les mots en gestes, est souvent utilisée par les **top vendeurs**. Voici les avantages :

1. L'attention du client est attirée ;

2. Le client participe. Il devient plus engagé, plus attentif et plus curieux ;

3. Le client s'attache au produit. Par exemple, si le **top vendeur** vend des autos, il fait conduire l'auto par le client pour que celui-ci se rende compte par lui-même de son confort et du plaisir à l'utiliser ;

4. La démonstration crée le désir d'agir.

La démonstration est un excellent moyen d'appuyer la présentation. Le **top vendeur** l'utilise avec efficacité pour amener le client potentiel à l'action et ainsi conclure la vente.

LES 20 SECRETS
D'UNE PRÉSENTATION RÉUSSIE

1. Appelez souvent le prospect par son nom durant la présentation ; cela le rendra plus attentif. Mais sans exagération.

2. Soyez fier de votre compagnie. Montrez les distinctions qu'elle a reçues. Parlez du nombre d'années de son existence. Montrez des lettres de clients satisfaits.

3. Montrez que vous croyez en votre produit en indiquant que vous en possédez un, ou que vous en auriez un si vous en aviez les moyens.

4. Suivez les 3 règles d'or :

    a) Souriez. Gardez le sourire en tout temps ;

    b) Écoutez, pour comprendre, évaluer, et répondre ;

    c) Parlez clairement pour être facilement compris. Ne parlez pas trop vite, vous pourriez perdre le client, ni trop lentement, vous pourriez l'ennuyer.

5. Regardez-le toujours dans les yeux. Comme l'a dit Napoléon : « Pour nous faire comprendre, nous devons d'abord parler aux yeux. »

6. Ne soyez jamais distrait par des interruptions comme le téléphone. Concentrez-vous sur la présentation et si votre client s'éloigne du sujet, écoutez poliment, puis ramenez-le à la présentation.

7. Soyez toujours prêt pour les objections. Attendez-vous à plus de moments négatifs que de positifs et à plus de « non » que de « oui ». Benjamin Franklin a dit : « Je m'attends au pire mais j'espère le meilleur. »

8. Ne sous-estimez jamais votre client, ne le devinez jamais ou ne lui mentez jamais. Cette attitude diffère de celle de l'ancien style de vendeur qui dit : « Regardez-le directement dans les yeux et mentez. » Dire la vérité est de loin plus convaincant que mentir, et le **top vendeur** peut même utiliser cela à son avantage s'il ne connaît pas la réponse à une question. Travaillez sur l'ego du client. Faites-lui sentir que vous apprenez de lui et que vous appréciez ses commentaires. En faisant cela, le client se sentira sur un pied d'égalité avec le **top vendeur**.

9. Vendez les avantages du produit et non le produit lui-même. Dans vos présentations, soyez plein d'humour et évitez les blagues. Votre prospect peut les connaître.

10. En parlant, hochez la tête d'une façon affirmative pour les choses sur lesquelles vous voulez qu'il soit d'accord et d'une façon négative pour l'inverse.

11. Posez-lui des questions pour le lier et l'engager dans votre présentation.

12. Si vous avez l'impression de perdre son attention, arrêtez et posez-lui des questions.

13. Faites en sorte qu'il soit engagé psychologiquement. Amenez-le à imaginer comment sa famille sera heureuse et à quel point elle appréciera son achat.

14. Faites en sorte qu'il soit engagé physiquement. Il sera attiré par votre produit et voudra l'acheter. Par exemple, si vous vendez une auto, faites-lui ouvrir la porte, toucher la batterie et ensuite, faites-lui conduire l'auto.

15. Utilisez les émotions négatives à votre avantage. Par exemple, si vous vendez de l'assurance, amenez-le à imaginer sa famille réduite à l'impuissance, parce qu'il est décédé et qu'il n'a pas d'assurance pour ses bien-aimés.

16. Utilisez les expériences positives du passé de votre client à votre avantage. Par exemple :

Top vendeur :	Vous souvenez-vous de votre première maison ?
Client :	Oui.
Top vendeur :	Quand l'aviez-vous achetée ?
Client :	À telle date.
Top vendeur :	C'était très excitant, n'est-ce pas ?
Client :	Oui, en effet, c'était très excitant.
Top vendeur :	Maintenant, vous allez être encore plus excité quand vous achèterez votre nouvelle maison.

17. Amenez-le à penser à l'avenir et stimulez son imagination. Si vous lui vendez une maison, faites-lui imaginer la nouvelle piscine dans l'arrière-cour.

    Quand vous stimulez son imagination, vous lui faites envisager des possibilités dans l'avenir.

18. Utilisez le pouvoir de l'âge. Si votre client potentiel est plus âgé, mentionnez-lui que la nouvelle génération ne comprend pas vraiment les avantages de votre produit. Regardez-le dans les yeux et dites : « Dieu merci, vous connaissez les avantages de ce produit. N'est-ce pas ? » La personne va normalement être d'accord parce qu'elle ne veut pas être associée avec la nouvelle génération. Vous pouvez utiliser le même principe, mais inversement, quand vous vous adressez à des jeunes.

19. Utilisez l'idée de la possession. Utilisez le pouvoir du « vous » et du « vôtre » dans la présentation. Par exemple : « Quand vous conduirez votre nouvelle auto, vous vous sentirez mieux que jamais. »

20. Rappelez-vous, en vendant à une famille, que si la femme est convaincue par votre produit, vous êtes pratiquement à 98 % près de conclure votre vente.

LES 4 ATTITUDES À ÉVITER
DANS VOTRE PRÉSENTATION

1. N'essayez jamais de tout faire à la fois. Vous allez vous surcharger et être découragé ;

2. Ne hâtez jamais la présentation pour aller vers la conclusion de la vente ;

3. Ne posez jamais de questions qui n'ont pas de réponses. Évitez les généralisations ;

4. Ne pensez jamais à votre commission durant la présentation.

Souvenez-vous que durant la présentation, votre client ne retiendra que 25 % de l'information. Utilisez les règles suivantes :

- Dites-lui ce que vous allez lui dire ;

- Dites-lui ce qu'il y a à dire ;

- Dites-lui ce que vous venez de lui dire.

Intéressez-le et maintenez son attention. Faites-lui désirer votre produit. Amenez-le à agir !

LES OBJECTIONS

AU TRIBUNAL, DÈS QU'UN AVOCAT OU
UN PROCUREUR FAIT DES OBJECTIONS,
PENSEZ-VOUS QU'ON FERME LA SALLE D'AUDIENCE
ET QUE TOUT LE MONDE S'EN VA ?

CHAPITRE

Les objections

*La résistance est une chose
à laquelle on fait face
chaque jour chez soi.*

Groucho Marx

Les objections sont les réactions naturelles du client potentiel qui cherche là plus de raisons d'acheter. Ce sont des réactions d'intérêt. Il y aura toujours des objections dans les présentations de vente et elles ne doivent pas être prises au sens négatif ; elles doivent plutôt être prévues et comprises, et le vendeur doit les réfuter.

POURQUOI CERTAINS CLIENTS SONT-ILS PLUS DIFFICILES QUE D'AUTRES ?

Selon les circonstances et en fonction de la présentation, plus le client formule d'objections, plus il démontre de l'intérêt. Le **top vendeur** sera toujours bien préparé à répondre à ces objections. Il sait que n'importe quelle objection est provoquée par quelque chose qu'il a dit ou qu'il a fait. Le client réagit simplement à l'information qu'il a reçue. Le **top vendeur** peut en venir à bout et être prêt à répondre à plus de questions. Le **top vendeur** peut lui-même formuler une objection puis la réfuter ; c'est ce que l'on appelle la « gymnastique mentale ». Quand le client dit « non », il dit, en fait, « pas encore, mais donnez-moi plus d'explications, persuadez-moi et ensuite, reposez-moi la question ».

POURQUOI LES CLIENTS SOULÈVENT-ILS DES OBJECTIONS ?

Selon la situation, le type d'information donnée dans une présentation et le type de client, les personnes réagissent positivement ou négativement. Voici quelques raisons à leurs objections :

1. Ils n'aiment pas le vendeur ;
2. Ils ne font pas confiance au vendeur et ne le croient pas ;
3. Ils n'aiment pas le produit ;
4. Ils n'aiment pas être poussés à acheter et ils veulent avoir l'impression de prendre eux-mêmes les décisions et de contrôler totalement la situation ;
5. Ils ont peur de prendre la mauvaise décision ;
6. Ils croient, parce qu'un autre vendeur a profité d'eux, que la situation va se reproduire ;
7. Ils veulent profiter de la situation et obtenir le meilleur prix possible pour la meilleure qualité ;
8. Ils veulent repousser au lendemain pour remettre l'achat ;
9. Ils cherchent à couvrir la véritable objection et la vraie raison ;
10. Ils sont influencés par le comportement du vendeur ; par exemple, il argumente, il connaît mal son produit ou il est mal organisé.

Dans certains cas, ils formulent des objections pour des raisons valables, comme celle d'être complètement à court d'argent.

LE TOP VENDEUR DOIT ÉGALEMENT COMPRENDRE QUE :

1. Les gens ne sont pas des décideurs.

Observez une famille dans un restaurant et remarquez comment chacun demande à l'autre « Qu'est-ce que tu prends ? » ou « Qu'est-ce que tu penses que je devrais prendre ? » pendant que le serveur attend. Puis ils demandent à avoir plus de temps pour se décider. Vous pouvez imaginer qu'ils ont le même comportement quand ils achètent un produit. **Les gens aiment savoir si quelqu'un d'autre avant eux a acheté le produit et si cette personne a été satistaite.**

2. Les gens aiment remettre les choses au lendemain.

Ils aiment prendre leur temps pour décider, y penser, en parler à un ami, ou mettre la question de côté pour le moment… jusqu'à ce qu'ils l'oublient complètement. Ils remettent à demain ce qu'ils ont remis à aujourd'hui !

3. Les gens sont soupçonneux.

Ils doutent de l'information donnée, du vendeur et du prix. Il est naturel que l'être humain soit soupçonneux. Le **top vendeur** peut être très occupé, mais il est bien préparé et il a beaucoup pratiqué à réfuter chacune des objections et à faire en sorte que les gens se sentent heureux d'avoir acheté son produit.

LES CONCEPTS D'OBJECTION

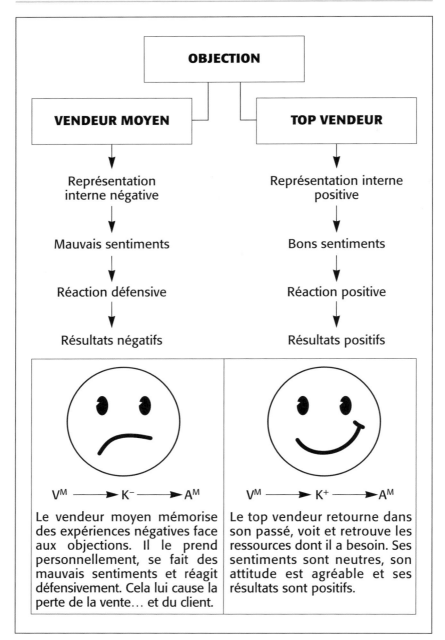

LES CONCEPTS DE CONCLUSION D'UNE VENTE

1. Concept « courant »

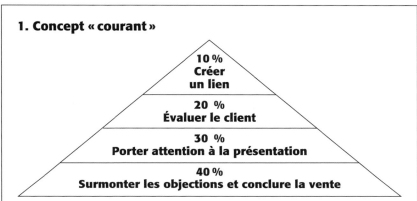

10 %
**Créer
un lien**

20 %
Évaluer le client

30 %
Porter attention à la présentation

40 %
Surmonter les objections et conclure la vente

Dans l'ancien concept, on remarque que l'objectif principal du vendeur est de conclure la vente. C'est la raison pour laquelle il consacre généralement 70 % de son énergie dans la présentation et la conclusion des ventes. Sa concentration est placée sur ses propres besoins ; il parle donc plus, il tente de toutes ses forces de convaincre le client de son point de vue. C'est la raison pour laquelle il est frustré et vend moins.

2. Le concept du top vendeur

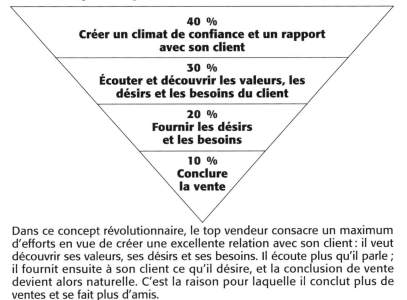

40 %
**Créer un climat de confiance et un rapport
avec son client**

30 %
**Écouter et découvrir les valeurs, les
désirs et les besoins du client**

20 %
**Fournir les désirs
et les besoins**

10 %
**Conclure
la vente**

Dans ce concept révolutionnaire, le top vendeur consacre un maximum d'efforts en vue de créer une excellente relation avec son client : il veut découvrir ses valeurs, ses désirs et ses besoins. Il écoute plus qu'il parle ; il fournit ensuite à son client ce qu'il désire, et la conclusion de vente devient alors naturelle. C'est la raison pour laquelle il conclut plus de ventes et se fait plus d'amis.

LES 8 ATTITUDES DU TOP VENDEUR
FACE AUX OBJECTIONS

1. Les objections sont des questions posées par un client intéressé qui veut plus d'information avant de prendre la décision d'acheter.

2. La vente commence seulement quand le client dit « non ».

3. Le **top vendeur** écoute attentivement les objections et essaie de comprendre le point de vue du client. Ensuite, il répond aux objections et progresse vers la conclusion de la vente.

4. Le **top vendeur** n'argumente jamais avec le client, le client a toujours raison.

5. Le **top vendeur** ne se sent jamais visé par les objections.

6. Le **top vendeur** ne pousse jamais la vente et n'accule jamais le client à l'achat.

7. Le **top vendeur** se concentre sur la manière d'aider le client par rapport à ses objections.

8. Le **top vendeur** aide le client à se sentir à l'aise par rapport à ses objections et répond intelligemment pour l'aider à prendre la décision d'acheter.

LES 3 STRATÉGIES PERSONNELLES DU
TOP VENDEUR FACE AUX OBJECTIONS

Devant les objections, le **top vendeur** utilise les stratégies suivantes :

1. Anticiper

Le **top vendeur** n'attend pas que le client amène des objections, mais lui-même les amène, les présente aux clients et les surmonte d'avance.

Exemple :

Top vendeur :   Certaines personnes nous disent que nos prix sont élevés. Par contre, nos prix représentent notre meilleur avantage à cause de (telle chose ou de telle autre).

Le **top vendeur** justifie ses prix d'avance, avant même que le client n'ait le temps d'offrir quelque réaction que ce soit.

2. Isoler

Avant que le **top vendeur** réponde à une objection énoncée par son client, il commence d'abord par isoler l'objection afin de déterminer si le client a d'autres objections à énoncer.

Exemple :

Client :   Je trouve que vos prix sont élevés.

Top vendeur :   À part les prix, y a-t-il autre chose qui vous inquiète ?

En s'y prenant de cette façon, le **top vendeur** saura si le prix constitue la seule objection du client. Si le client en a d'autres, le **top vendeur**, en lui demandant d'entrée de jeu de les énumérer, sera en mesure de s'y préparer d'avance.

3. Surmonter

Si le **top vendeur** utilise les stratégies 1 et 2 mais que le client continue d'insister sur le fait que le prix est trop élevé, il passera alors à la stratégie 3. Il choisira de surmonter l'objection en utilisant les 7 règles qui suivent ainsi que le modèle de précision.

LES 7 RÈGLES POUR RÉFUTER LES OBJECTIONS

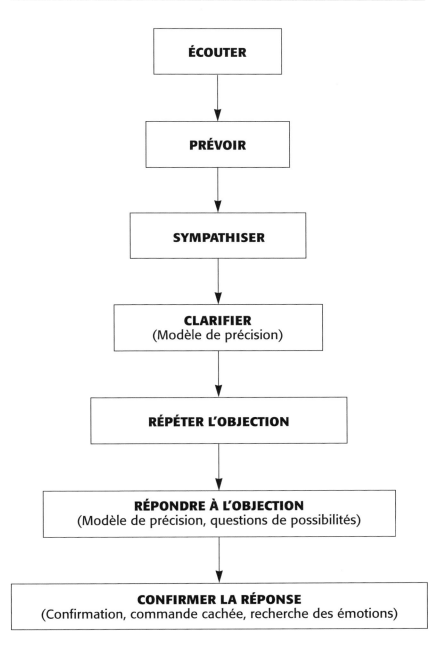

LES 7 RÈGLES POUR RÉFUTER LES OBJECTIONS

1. Écouter

Quand un client vous apporte une objection, écoutez-le très attentivement. Faites attention à chaque détail. Écoutez pour comprendre et ne l'interrompez jamais.

2. Prévoir

Quand vous écoutez une objection et la comprenez, allez au devant. Attendez la réaction du client et écoutez-le attentivement de nouveau.

3. Sympathiser

Partagez les sentiments du client. Soyez d'accord avec ses inquiétudes comme si elles étaient les vôtres et faites-lui sentir que vous vous sentiriez comme lui si vous étiez dans la même situation.

4. Clarifier

Demandez au client d'être précis par rapport au problème et de vous l'expliquer d'une façon plus précise. À cette étape, vous allez utiliser **le modèle de précision**.

Exemple : Quand vous demandez au client d'être plus précis, en utilisant le « comment et quoi exactement », il va répondre avec plus de précisions jusqu'à ce que vous découvriez ses vraies objections.

Exemple :

Client :	J'ai fait une mauvaise expérience avec un produit semblable.
Top vendeur :	Puis-je vous demander en quoi exactement l'autre produit est semblable au mien ?
Client :	Il n'est pas exactement semblable, mais…

5. Répéter l'objection

Quand le client vous explique exactement son inquiétude, répétez sa réponse, mais dites-le avec vos propres mots. Résumez et amenez-le à être d'accord. Utilisez la série de questions « oui ».

Exemple :

Client : Mon inquiétude réelle est que votre produit est trop coûteux pour mon budget.

Top vendeur : Alors, votre inquiétude, c'est l'argent, n'est-ce-pas ?

Client : Oui.

Vous pouvez maintenant passer à la prochaine étape et répondre à ces objections.

6. Répondre à l'objection

Vous avez découvert les objections du client en utilisant le modèle de précision et vous avez réussi à les lui faire préciser. Maintenant, vous pouvez réfuter l'objection, selon sa nature, en utilisant les questions de possibilités, commençant par « Et si ».

Exemple :

« Et si vous pouviez ——————— et si ——————— , cela vous intéresserait-il ? »

« Et si vous pouviez avoir une meilleure qualité et un prix plus bas, cela vous intéresserait-il ? »

Dans la question de possibilité, vous laissez imaginer au client tous les avantages dont il peut bénéficier ; tout ce qu'il a à dire est « Oui, cela m'intéresse ». En utilisant les questions de possibilités, vous pourrez être près de conclure votre vente et même, presque immédiatement.

7. Confirmer la réponse

Si le client n'est pas d'accord et s'il apporte d'autres objections, vous pouvez continuer à utiliser des tactiques différentes jusqu'à ce qu'il soit d'accord avec vous. S'il est d'accord avec vos questions de possibilités, vous pouvez confirmer votre réponse en utilisant la déclaration de confirmation (p. 159), la commande cachée (p. 97), et en allant chercher ses émotions.

Exemple :

Top vendeur : Ce problème étant réglé (déclaration de confirmation), allons-y et essayez le produit (commande cachée). Vous serez heureux de l'avoir fait (ici, vous allez chercher ses émotions).

Maintenant, découvrons comment amener le prospect à répondre avec précision en utilisant le modèle de précision.

LE POUVOIR DU MODÈLE DE PRÉCISION POUR RÉFUTER LES OBJECTIONS

Le modèle de précision, c'est l'art d'utiliser des phrases et des mots précis pour atteindre le cœur d'une conversation, pour éliminer les généralités et permettre aux gens de communiquer d'une façon plus explicite. Des thérapeutes et de nombreuses personnes qui ont réussi se servent de ce modèle.

Quand John Grinder et Richard Bandler, les fondateurs de la programmation neurolinguistique (PNL), ont étudié le cas de thérapeutes qualifiés et de personnes qui avaient réussi, ils ont découvert que ceux-ci utilisaient des phrases qui leur permettaient d'obtenir des résultats plus rapides. Le **top vendeur** connaît la valeur des mots et des phrases ; il les utilise pour guider ses clients potentiels vers le résultat désiré.

Voyons comment cela fonctionne. Regardez l'illustration suivante. La main gauche vous représente et la main droite représente votre client. Chacun de vos doigts va rencontrer chacun des autres doigts comme s'ils étaient en compétition, travaillant comme une équipe contre une autre équipe. Lisez les mots et les phrases qui leur sont associés, pratiquez-les et apprenez-les par cœur. Regardez chaque doigt et répétez les mots. Maintenant, voyons comment les mains devront être utilisées. Rappelez-vous que le modèle de précision peut devenir une sorte de jeu utile et efficace.

LE MODÈLE DE PRÉCISION

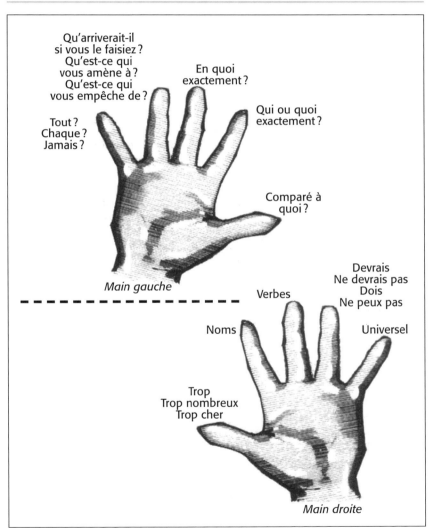

LE MODÈLE DE PRÉCISION

LA MAIN DROITE (Client)	LA MAIN GAUCHE (Top vendeur)	TECHNIQUE	
1. Universel	Tout Chaque Jamais	Client :	Tout le monde utilise votre concurrence.
		Top vendeur :	Tout le monde ?
		Client :	Pas vraiment tout le monde.
2. Devrais Ne devrais pas Dois Ne peux pas	Qu'arriverait-il si vous le faisiez ? Qu'est-ce qui vous amène à ? Qu'est-ce qui vous empêche de ?	Client :	Je ne devrais pas faire de dépenses maintenant.
		Top vendeur :	Qu'est-ce qui vous mène à penser ainsi ?
		Client :	La récession
		Top vendeur :	Que se passerait-il s'il n'y avait pas de récession ?
		Client :	Il n'y aurait pas de problème.
3. Verbes (action)	En quoi exactement ?	Client :	Je vais y penser.
		Top vendeur :	À quel point exactement voudriez-vous penser ?
		Client :	C'est cher (vous pouvez voir qu'il présente des objections différentes).
4. Noms (lieux, choses)	Qui ou quoi exactement ?	Client :	On m'a dit que vos produits sont de mauvaise qualité.
		Top vendeur :	Qui exactement ?
		Client :	Vos concurrents.
		Top vendeur :	En quoi exactement ?
5. Trop Trop nombreux Trop cher	Comparé à quoi ?	Client :	Votre produit est trop cher.
		Top vendeur :	Comparé à quoi ?

Comme vous pouvez le constater, chacun des doigts d'une main représente une objection ; les doigts de l'autre main répondent aux objections de manière à amener le client du général au particulier. L'exercice consiste à répondre, à l'aide de chacun des doigts de la main droite, aux objections représentées par les doigts correspondants de la main gauche. Vous devez mener l'autre personne à être plus explicite afin de découvrir la véritable objection.

Exemple :

Client :	Je vais y penser.
Top vendeur :	À quel point exactement allez-vous penser ?
Prospect :	J'en parle toujours d'abord à ma femme.
Top vendeur :	Toujours ?
Client :	Enfin, pas toujours mais comme votre produit est cher, je devrais.
Top vendeur :	Cher ! Comparé à quoi ?
Client :	Comparé à d'autres produits.
Top vendeur :	Comment sont les autres produits par rapport au mien ?
Client :	Enfin, ce ne sont pas vraiment les mêmes, mais vous êtes quand même plus cher.
Top vendeur :	Qu'arriverait-il si vous étiez sûr que mon produit vaut vraiment son prix ? Cela vous intéresserait-il ?
Client :	À cette condition, oui.
Top vendeur :	Voyons un peu comment nous pouvons vous aider. Vous pouvez faire plusieurs petits paiements sans intérêt pendant six mois, etc.

Travaillez à trouver une solution afin de conclure la vente ou à trouver d'autres objections. Le modèle de précision est un outil très puissant. Continuez à le mettre en pratique. À présent, découvrons comment l'utiliser avec les autres règles afin de réfuter les objections.

LES 5 CATÉGORIES D'OBJECTIONS

Selon les situations et selon le client, les objections sont présentées sous différentes formes. Mais quelles que soient les variations, les objections forment cinq catégories et chaque catégorie comprend plusieurs types.

1. L'objection du produit ou du service

Dans cette catégorie, le client trouve à redire principalement sur le produit ou sur le service parce qu'il ne le connaît pas et qu'il ne lui fait pas confiance. De plus, il ne fait pas confiance au vendeur. Ainsi, ces objections peuvent être présentées sous les formes suivantes :

a) J'ai eu un problème avec un produit semblable.

b) J'ai eu un problème avec un de vos produits.

c) Vous n'avez pas d'antécédent. Votre produit (entreprise) est nouveau sur le marché.

d) Pourquoi dois-je courir un risque ? Pourquoi pensez-vous que ce produit me convient ?

2. L'objection du prix ou du coût

Dans cette catégorie, le client sera principalement préoccupé par l'argent et ce que cela lui coûte. Cette catégorie représente la majorité des cas. En voici quelques formes :

a) C'est trop cher !

b) Je peux avoir de meilleurs prix ailleurs.

c) Je n'en ai pas les moyens.

3. L'objection du manque d'intérêt

Dans cette catégorie, le client va montrer au vendeur, sous diverses façons, qu'il n'est pas intéressé. En voici quelques-unes :

a) Ça ne m'intéresse pas !

b) Je fais déjà affaire avec votre concurrent.

c) Je vais y penser.

d) Je dois en parler à mon associé (mon épouse, mon avocat, etc.).

e) Je vais vérifier les prix et les autres produits.

f) Je ne suis pas vraiment décidé.

g) Je reviendrai demain, puis-je avoir votre carte d'affaires ?

4. L'objection du manque de besoin

Dans cette catégorie, le client emploie différentes tactiques pour ne pas prendre de décision. Certains peuvent vraiment ne pas vouloir changer et préférer garder ce qu'ils ont afin d'éviter les problèmes. Voici quelques formes de ces objections :

a) Je n'en n'ai pas besoin.

b) Je viens d'en acheter un d'une autre personne.

c) J'ai un produit semblable.

5. L'objection du manque de temps

Dans cette catégorie, le client dit au vendeur qu'il n'a pas le temps de le rencontrer tout de suite. Et s'il le rencontre, il utilisera ce même argument pour remettre l'achat à plus tard.

a) Je vais attendre l'année prochaine.

b) Je n'ai pas le temps, je suis trop occupé.

c) Téléphonez-moi dans deux semaines.

COMMENT VENIR À BOUT
DE TOUTES LES OBJECTIONS ?

À présent, voyons comment le top vendeur peut venir à bout de chacune des 5 catégories et de leurs 20 types d'objections en utilisant les 7 règles d'or et le modèle de précision pour réfuter toutes les objections.

1. L'objection du produit ou du service

a) *« J'ai eu un problème avec un produit semblable. »*

> Exemple : (Dans le cas d'un photocopieur.)

Client :	Je connais ce modèle, j'ai eu des problèmes avec un photocopieur semblable.
Top vendeur :	(Écoute.)
	(Prévoit.) Je comprends parfaitement votre inquiétude.
	(Sympathise.) Avec un tel investissement, je réagirais comme vous.

AVERTISSEMENT

Attention, quand vous utilisez l'étape n° 3 (sympathiser), il faut que votre conversation soit sincère et adaptée à votre style et à celui de votre client.

	(Clarifie.) Est-ce que je peux vous demander avec quoi exactement vous avez eu un problème ?
Client :	La machine était très lente. Les différentes tailles de papier ne s'ajustaient pas. De plus, elle n'avait qu'un an de garantie.

Top vendeur :	(Clarifie.) Ainsi, la machine était lente, les tailles de papier ne s'ajustaient pas et il n'y avait qu'un an de garantie ?
Client :	C'est ça.
Top vendeur :	(Répond aux objections.) Qu'est-ce qui arriverait si vous pouviez avoir une machine plus rapide avec un contrôle total sur l'ajustement de papier, un contrat de service et une garantie prolongée ? Si vous pouviez utiliser plusieurs couleurs et avoir un mois d'essai gratuit. Cela vous intéresserait-il ?
Client :	Je pense bien.
Top vendeur :	(Confirme la réponse.) Ce problème étant réglé (déclaration de confirmation), ne croyez-vous pas que nous devrions faire un essai ? (Commande cachée.) Allons-y, essayons-le, vous serez heureux de l'avoir fait. (Émotions.) Aimeriez-vous avoir la livraison mardi ou mercredi ? (Choix.)

b)   *« J'ai eu un problème avec un de vos produits. »*

Exemple : (Dans le cas d'une voiture.)

Client :	J'ai eu des problèmes avec la même voiture.
Top vendeur :	(Écoute.)
	(Prévoit.) Je sais exactement ce que vous voulez dire.
	(Sympathise.) Je réagirais comme vous. Quand on achète une voiture, ce n'est pas pour prendre un « abonnement » avec le garage.

	(Clarifie.) Puis-je vous demander quel problème exactement vous aviez eu avec la voiture ?
Client :	La voiture consommait beaucoup d'essence, ce qui me coûtait une fortune. Je n'avais pas de servodirection ni de servofrein. De plus, le service était vraiment très mauvais.
Top vendeur :	(Reconfirme.) Alors, ça vous coûtait cher en essence et vous n'aviez pas de servodirection ni de servofrein et le service était lamentable. C'est ça ?
Client :	Oui, c'est ça.
Top vendeur :	(Répond aux objections.) Qu'arriverait-il si tous ces problèmes étaient réglés et que vous pouviez avoir en plus l'air climatisé gratuit, un bon montant en échange de votre vieille voiture et un financement pour la nouvelle à un excellent taux ? Cela vous intéresserait-il ?
Client :	Je suppose que oui.
Top vendeur :	(Confirme la réponse.) Ces problèmes étant réglés, allons la chercher et essayez-la (commande cachée), vous serez heureux de l'avoir fait (émotions). Est-ce que vous la voulez blanche ou bleue ? (Choix.)

c) *« Vous n'avez pas d'antécédent. Votre entreprise est nouvelle sur le marché. »*

Exemple : (Dans le cas d'un télécopieur.)

Client :	Depuis combien de temps êtes-vous en affaires ? Votre entreprise est nouvelle et vous n'avez pas d'antécédent. Pourquoi pensez-vous que je vais acheter ?

Top vendeur : (Prévoit.) Je comprends votre point de vue. J'aurais réagi comme vous. Puis-je vous demander en quoi précisément mon entreprise est nouvelle ?

Client : Je veux dire que vous n'avez pas de clientèle établie.

Top vendeur : Alors, vous n'achetez pas notre produit parce que nous n'avons pas une clientèle établie ?

Client : Plus ou moins.

Top vendeur : Qu'arriverait-il si nous avions une clientèle établie, est-ce que vous seriez intéressé ?

Client : Peut-être.

Top vendeur : (Expose les avantages de la nouvelle technologie, lui montre des lettres de clients satisfaits et répond aux objections.) C'est pour nous une raison de plus de vous offrir un meilleur service. Monsieur, tout bon produit a débuté un jour. De plus, vous avez une garantie de remboursement. Vous n'avez réellement rien à perdre.

(Confirme la réponse.) Allons-y et essayez-le. Vous serez heureux de l'avoir fait. Est-ce que vous voulez la livraison jeudi ou vendredi ?

d) *« Pourquoi dois-je courir un risque ? Pourquoi croyez-vous que votre produit me convient ? »*

Exemple : (Dans le cas d'un ordinateur.)

Client : Pourquoi dois-je courir un risque, particulièrement maintenant ? Qu'est-ce qui vous fait croire que votre ordinateur me conviendrait ?

Top vendeur :	Je sais exactement ce que vous voulez dire (sympathise). Je réagirais comme vous. Surtout maintenant. Puis-je vous demander ce qui vous fait exactement réagir ainsi ?
Client :	J'aimerais savoir quels avantages votre ordinateur apportera à mon entreprise ?
Top vendeur :	(Clarifie de nouveau, il en est toujours à la généralisation.) À quels avantages particuliers pensez-vous ?
Client :	Je veux que l'ordinateur contrôle les inventaires, produise des états financiers précis, les rapports de comptes à payer et les comptes à recevoir.
Top vendeur :	(Clarifie.) Si je vous comprends bien, vous avez besoin d'un ordinateur pour produire tous vos rapports financiers, n'est-ce pas ?
Client :	Oui, c'est cela.
Top vendeur :	(Répond aux objections.) Et si vous pouviez avoir tout cela, plus des rapports journaliers, plus un mois d'essai, un an de garantie et une formation sur place pendant deux semaines, cela vous intéresserait-il ?
Client :	Je crois. En fait, oui.
Top vendeur :	(Confirme la réponse.) Alors, essayons. Vous serez heureux de l'avoir fait. Qui, à part vous, suivra le cours de formation ?

2. L'objection du prix ou du coût

a) « C'est trop cher ! »

Exemple : (Dans le cas d'un réfrigérateur.)

Client :	Votre prix est trop élevé. C'est trop cher !
Top vendeur :	(Écoute.)
	(Prévoit.) Je comprends. Tout est cher de nos jours.
	(Sympathise.) Je réagirais comme vous.
	(Clarifie.) Mais il est trop cher comparé à quoi ?
Client :	Comparé à d'autres réfrigérateurs.
Top vendeur :	Puis-je vous demander en quoi exactement les autres réfrigérateurs sont semblables aux miens ?
Client :	Ils ne sont pas exactement semblables, mais ils offrent assez d'espace, ils produisent des cubes de glace et décongèlent automatiquement.
Top vendeur :	Alors, les autres réfrigérateurs offrent de l'espace, produisent des cubes de glace et décongèlent automatiquement ?
Client :	Exactement.
Top vendeur :	(Répond aux objections.) Qu'arriverait-il si je pouvais vous donner tout cela, plus un bac pour les légumes et les œufs et encore plus d'espace à l'intérieur ? Nous avons actuellement un modèle de ce genre en vedette. Il est 10 % moins cher et nous pouvons vous donner deux ans de garantie. Cela vous intéresserait-il ?
Client :	Cela me semble intéressant.
Top vendeur :	(Confirme la réponse.) Maintenant qu'il n'y a plus de problèmes, allons-y. Vous serez heureux de votre choix. Quelle couleur préférez-vous, blanc ou noir ?

b) « *Je peux avoir un meilleur prix ailleurs.* »

Exemple :	(Dans le cas d'un ensemble de salle à manger.)
Client :	C'est trop cher. Je peux en avoir un à meilleur prix ailleurs.
Top vendeur :	(Écoute.)
	(Prévoit.) Je sais que vous pouvez le faire et je comprends votre point de vue.
	(Sympathise.) Je réagirais comme vous.
	(Clarifie.) Puis-je vous demander où exactement vous pouvez l'avoir à un meilleur prix ?
Client :	Dans d'autres magasins comme Zellers.
Top vendeur :	(Clarifie.) Alors, c'est trop cher comparé à Zellers.
Client :	Oui.
Top vendeur :	Qu'est-ce qu'ils ont exactement qui est semblable à cet ensemble de salle à manger ?
Client :	Ils en ont un de sept chaises et une grande table.
Top vendeur :	(Répond aux objections.) Et si vous pouviez avoir sept chaises et une grande table en cerisier, plus une garantie de remboursement et une livraison cette fin de semaine, cela vous intéresserait-il ?
Client :	Le cerisier est de meilleure qualité.
Top vendeur :	(Confirme la réponse.) Alors, maintenant qu'il n'y a plus de problèmes,

allons-y. Vous n'avez rien à perdre. C'est un investissement pour la vie et vous serez heureux de l'avoir fait. Préférez-vous la livraison cette fin de semaine ou durant la semaine ?

c) *« Je n'en ai pas les moyens. »*

Exemple : (Dans le cas d'une maison.)

Client :	Je ne peux pas me permettre cette dépense.
Top vendeur :	(Écoute.)
	(Prévoit.) Je comprends votre inquiétude.
	(Sympathise.) Je réagirais exactement de la même façon.
	(Clarifie.) Puis-je vous demander ce qui vous empêche de vous décider aujourd'hui ?
Client :	La récession. Je dois faire plus attention en ce moment.
Top vendeur :	(Clarifie.) La récession est la principale raison.
Client :	C'est exact.
Top vendeur :	(Répond aux objections.) Et s'il n'y avait pas de récession, vous décideriez-vous ?
Client :	Je pense que oui.
Top vendeur :	(Répond aux objections.) Vous êtes d'accord que la maison est celle que vous souhaitez ?
Client :	Oui.
Top vendeur :	Et vous êtes d'accord que c'est un investissement pour la vie ?

Client :	Oui.
Top vendeur :	Vous allez économiser et être vraiment heureux avec votre famille une fois que vous habiterez votre nouvelle maison.
Client :	Oui.
Top vendeur :	(Confirme la réponse.) Alors, allons-y et profitez-en maintenant. Vous serez heureux de votre acquisition. Vous êtes seul à remplir les papiers ou votre épouse doit signer ?

3. L'objection du manque d'intérêt

a) « *Ça ne m'intéresse pas !* »

Exemple : (Dans le cas d'un aspirateur.)

Client :	Ça ne m'intéresse pas !
Top vendeur :	(Écoute.)
	(Prévoit.) Je vous comprends très bien.
	(Sympathise.) Je réagirais comme vous.
	(Clarifie.) Puis-je vous demander ce qui ne vous intéresse pas exactement ?
Client :	C'est trop compliqué.
Top vendeur :	Comparé à quoi ?
Client :	Comparé aux autres aspirateurs.
Top vendeur :	Puis-je savoir exactement ce qui est trop compliqué ?
Client :	Je ne comprends pas ces manuels et si l'aspirateur tombe en panne, je ne saurais pas le réparer et je devrais attendre le service.

Top vendeur : Alors, c'est plutôt le fonctionnement de l'appareil et son manuel que vous trouvez compliqués ?

Client : Oui.

Top vendeur : À part cela, y a-t-il d'autres choses qui vous inquiètent ?

Client : Non.

Top vendeur : Si vous pouviez avoir un manuel facile à lire, un appareil facile à utiliser et aussi très léger, avec un contrôle de vitesse, en plus d'un mois d'essai gratuit, d'une garantie d'un an et d'une garantie de remboursement, cela vous intéresserait-il ?

Client : Oui.

Top vendeur : Alors, allons-y, essayons-le. Vous serez heureux de l'avoir fait. Votre nouvel aspirateur sera livré samedi prochain.

b) *« Je fais déjà affaire avec votre concurrent. »*

Client : Je fais déjà affaire avec votre concurrent et je suis satisfait du service.

Top vendeur : (Écoute.)

(Prévoit.) Je comprends et je respecte votre décision.

(Sympathise.) Je réagirais exactement de la même façon.

(Clarifie.) Puis-je vous demander ce que vous préférez exactement chez mon concurrent ?

Client : L'excellence du service, la bonne qualité et les prix avantageux.

Top vendeur:	Alors, c'est leur service, leur qualité et les bons prix.
Client:	Oui.
Top vendeur:	(Répond aux objections.) Et si je vous donnais tout ce que vous avez maintenant, plus une garantie prolongée, une garantie de remboursement et un mois d'essai gratuit, cela vous intéresserait-il?
Client:	Certainement, mais le service est très important pour moi.
Top vendeur:	Vraiment?
Client:	Oui.
Top vendeur:	Nous vous donnerons un service supérieur. Maintenant qu'il n'y a plus de problèmes, allons-y, essayez-le, vous serez heureux de l'avoir fait.

c) *« Je vais y penser. »*

Client:	Je vais y penser.
Top vendeur:	(Écoute.)
	(Prévoit.) Félicitations! Cela montre que vous êtes prudent pour prendre une décision.
	(Sympathise.) Je ferais la même chose que vous.
	(Clarifie.) Puis-je vous demander exactement à quoi vous allez penser?
Client:	J'aime prendre mon temps.
Top vendeur:	(Clarifie.) Vous aimez prendre votre temps, mais y a-t-il autre chose qui vous inquiète?
Client:	Non.

Top vendeur :	Vous savez, ce produit augmentera vos profits, il réduira vos coûts et vous aidera à augmenter l'efficacité de vos rapports. Êtes-vous d'accord ?
Client :	Oui.
Top vendeur :	Vous êtes aussi au courant que c'est un excellent moyen de progresser et de profiter de ce que vous voulez vraiment.
Prospect :	Oui.
Top vendeur :	Alors, allons-y, essayons-le. Vous serez heureux de l'avoir fait.

Si le prospect connaît les avantages de vos produits et s'il est d'accord avec vous, amenez-le immédiatement à conclure la vente. Sinon, il changera sa stratégie et soulèvera une autre objection.

d) *« Je dois en parler à mon associé. » (Mon épouse, mon avocat, mon conseiller, etc.)*

Client :	Je dois en parler avec mon associé.
Top vendeur :	(Écoute.)
	(Prévoit.) Je suis d'accord avec vous. Parfois nous avons besoin d'une autre opinion pour prendre la bonne décision.
	(Sympathise.) Je ferais la même chose que vous.
	(Clarifie.) Puis-je vous demander exactement de quoi vous voulez parler à votre associé avant d'investir dans ce produit ?
Client :	Je le verrai demain afin de connaître son opinion.

Top vendeur : (Clarifie.) Alors, vous le verrez demain et vous connaîtrez son opinion vis-à-vis de notre produit ?

Client : Oui.

Top vendeur : (Répond aux objections.) Qu'arriverait-il si votre associé était à l'extérieur de la ville et que vous aviez à prendre une décison immédiate ? Attendriez-vous son retour pour la prendre ?

Client : Probablement pas !

Top vendeur : Vous connaissez l'excellente qualité de notre produit et vous savez à quel point il pourra vous faire économiser. Vous pouvez le retourner si vous n'êtes pas satisfait. Essayez-le. Votre associé et vous serez satisfaits de la décision que vous avez prise.

Afin d'éviter ce genre d'objection, lors de la planification et avant votre rendez-vous, assurez-vous que toutes les parties concernées seront là pour votre présentation.

e) « *Je vais vérifier les prix et les autres produits.* »

Client : Je crois que c'est un bon produit mais je veux comparer les prix avant de prendre une décision.

Top vendeur : (Écoute.)

(Prévoit.) Je suis d'accord et je comprends votre point de vue.

(Sympathise.) J'agirais de la même façon.

(Clarifie.) Puis-je vous demander comment vous allez comparer les prix exactement ?

Client :	Je vais regarder et faire des comparaisons avec des produits semblables.
Top vendeur :	(Clarifie) Vous voulez faire des comparaisons.
Client :	Oui.
Top vendeur :	(Répond en lui montrant tous les avantages, capte son intérêt, répète les avantages et l'encourage à prendre une décision.)
	(Répond aux objections.) Vous savez que vous pouvez avoir l'avantage numéro 1, l'avantage numéro 2, l'avantage numéro 3, plus l'avantage numéro 4 si vous investissez dans ce produit et que vous pouvez vraiment profiter du produit immédiatement. Ce sont les avantages que vous cherchez, n'est-ce pas ?
Client :	Oui.
Top vendeur :	Alors, allons-y, essayez-le. Vous n'avez rien à perdre et beaucoup à gagner. Vous serez satisfait de votre acquisition.

f) *« Je ne suis pas vraiment décidé ! »*

Client :	Je ne peux pas prendre de décision maintenant !
Top vendeur :	(Écoute.)
	(Prévoit.) Je comprends, vous voulez attendre.
	(Sympathise.) Je réagirais de la même façon.
	(Clarifie.) Puis-je vous demander ce qui vous empêche d'acheter aujourd'hui ?

Client :	C'est bien difficile pour le moment. Nous sommes en récession et les temps sont durs.
Top vendeur :	(Clarifie.) Alors, c'est à cause de la récession ?
Client :	Oui.
Top vendeur :	S'il n'y avait pas de récession, seriez-vous intéressé ?
Client :	Je crois que oui.
Top vendeur :	Vous êtes d'accord avec moi que c'est le produit que vous recherchez ?
Client :	Oui.
Top vendeur :	Et que le produit va vous faire économiser ?
Client :	Oui.
Top vendeur :	En période de récession, n'êtes-vous pas d'accord qu'économiser, c'est très important pour vous ?
Client :	Oui.
Top vendeur :	(Confirme la réponse.) Alors, allons-y et essayez-le. Vous serez heureux de l'avoir fait.

g) « *Je reviendrai demain, puis-je avoir votre carte d'affaires ?* »

Client :	Je reviendrai demain, puis-je avoir votre carte d'affaires ?
Top vendeur :	(Écoute.)
	(Prévoit.) Je crois que vous allez revenir demain.
	(Sympathise.) À votre place, je ferais la même chose que vous.
	(Clarifie.) Puis-je vous demander ce qui vous empêche d'acheter aujourd'hui ?

Client :	Je veux amener mon épouse avec moi.
Top vendeur :	(Clarifie.) Alors, vous voulez amener votre épouse demain, n'est-ce pas ?
Client :	Oui.
Top vendeur :	Si votre épouse était avec vous aujourd'hui, achèteriez-vous aujourd'hui ?
Client :	Je crois que oui.
Top vendeur :	Vous connaissez les qualités de ce produit et vous comprenez son efficacité, n'est-ce pas ?
Client :	Oui.
Top vendeur :	Alors, signons les papiers aujourd'hui et lorsque vous reviendrez demain, nous ne perdrons pas de temps. Êtes-vous d'accord ?

S'il est intéressé, il va signer les papiers. Autrement, il va formuler la véritable objection.

Cette technique peut être utilisée seulement si vous jugez que vous avez créé une excellente relation avec le client. Si vous l'utilisez, surtout, souriez !

4. L'objection du manque de besoin

a) « Je n'en ai pas besoin. »

Client :	Je n'en ai pas besoin.
Top vendeur :	(Écoute.)
	(Prévoit.) Je comprends ce que vous voulez dire. Pourquoi acheter quelque chose dont on n'a pas besoin ?
	(Sympathise.) Nous devons faire attention de nos jours. Je pense exactement comme vous.
	(Clarifie.) Puis-je vous demander ce qui vous empêche d'acheter aujourd'hui ?

Client :	Je n'en vois pas le besoin pour le moment. Je dois faire plus attention à ce que je dépense.
Top vendeur :	(Clarifie.) Alors, vous savez que le besoin est là, mais pour le moment, vous voulez contrôler vos dépenses. C'est ça ?
Client :	Oui.
Top vendeur :	Qu'arriverait-il si vous aviez assez d'argent ? Investiriez-vous dans ce produit ?
Client :	Oui.
Top vendeur :	Vous êtes bien conscient que notre produit va vous faire économiser ?
Client :	Oui.
Top vendeur :	Ne pensez-vous pas qu'à part le plaisir de le posséder, il va aussi vous aider à améliorer vos résultats ?
Client :	Oui.
Top vendeur :	(Confirme la réponse.) Alors, allons-y, essayez-le. Vous serez heureux de l'avoir fait. Payez-vous comptant ou par chèque ?

b) *« Je viens d'en acheter un d'une autre personne. »*

Exemple : (Dans le cas d'un appareil de télévision.)

Client :	Je compare parce que je viens d'en acheter un de quelqu'un d'autre.
Top vendeur :	(Écoute.)
	(Prévoit.) Félicitations ! J'espère que vous l'aimez.
	(Sympathise) Je me sentirais comme vous.

	(Clarifie.) Puis-je vous demander ce que vous aimez particulièrement dans cet appareil de télévision ?
Client :	Je l'ai eu pour un bon prix et les couleurs sont belles.
Top vendeur :	Alors, c'est le prix et les couleurs qui font que vous l'aimez ; ce sont les raisons pour lesquelles vous l'avez acheté, n'est-ce pas ?
Client :	Oui.
Top vendeur :	(Répond aux objections.) Qu'arriverait-il si vous pouviez avoir tout cela, plus une garantie de deux ans, une meilleure qualité, un plus gros appareil et rien à payer avant six mois. Penseriez-vous à changer ?
Client :	Cela me paraît intéressant.
Top vendeur :	(Confirme.) Alors, allons-y, essayez-le. Vous serez heureux de l'avoir fait.

c) « *J'ai un produit semblable.* »

Client :	Je le connais. J'ai un produit semblable.
Top vendeur :	(Écoute.)
	(Prévoit.) Je comprends votre point de vue. Il y a des produits qui se ressemblent.
	(Sympathise) Vous avez raison.
	(Clarifie) Vous pouvez m'expliquer exactement en quoi ce produit est semblable au mien ?
Client :	Ce n'est pas tout à fait la même chose, mais il convient à mes besoins.
Top vendeur :	Alors, il n'est pas exactement semblable, mais il fait l'affaire.

Client :	C'est juste.
Top vendeur :	Qu'arriverait-il si je pouvais vous prouver qu'avec mon produit, vous économiseriez de l'argent et que vous augmenteriez votre efficacité et vos bénéfices ? De plus, si nous vous donnions une formation sur la façon de l'utiliser et une garantie prolongée, cela vous intéresserait-il ?
Client :	Oui, mais…
Top vendeur :	(Confirme la réponse.) Alors, allons-y, essayez-le. Vous serez très heureux de votre décision. Préférez-vous la livraison jeudi ou samedi ?

5. L'objection du manque de temps

a) *« Je vais attendre l'année prochaine. »*

Client :	Je peux attendre à l'année prochaine. Je ne suis pas pressé.
Top vendeur :	(Écoute.)
	(Prévoit.) Je vous comprends parfaitement.
	(Sympathise.) Je réagirais comme vous dans le même cas.
	(Clarifie.) Puis-je vous demander ce qui vous empêche d'acheter maintenant ?
Client :	Je n'aime pas ajouter de nouveaux produits à mes stocks.
Top vendeur :	(Clarifie.) Alors, c'est parce que vous ne voulez pas varier vos stocks, n'est-ce pas ?
Client :	Oui.

Top vendeur :	(Répond aux objections.) Qu'arriverait-il si vous pouviez augmenter votre profit, avoir plus de contrôle sur vos stocks, garder les prix stables de cette année, éviter les taxes et les augmentations de l'année prochaine ? Puisque nous sommes déjà en décembre, nous pourrions commencer les paiements en janvier de l'année prochaine. Cela vous intéresserait-il ?
Client :	Je crois que oui.
Top vendeur :	(Confirme la réponse.) Allons-y, essayons-le. Vous serez heureux de l'avoir fait. Voulez-vous signer les papiers ? La troisième copie est la vôtre.

b) *« Je n'ai pas le temps, je suis très occupé. »*

Client :	Ne voyez-vous pas que je suis occupé. Je n'ai pas le temps maintenant.
Top vendeur :	(Écoute.)
	(Prévoit.) Je constate.
	(Sympathise.) Et je réagirais comme vous.
	(Clarifie.) À part le fait d'être occupé, puis-je vous demander ce qui vous empêche d'acheter maintenant ?
Client :	Ça demande du temps pour comprendre votre produit et je n'ai pas le temps.
Top vendeur :	(Clarifie.) Alors, vous avez besoin de temps pour comprendre le produit. C'est ça ?
Client :	Oui.
Top vendeur :	Et si vous pouviez avoir un produit simple qui ne demande pas plus

de 15 minutes pour le comprendre et qui vous aide à économiser plus de temps immédiatement? De plus, il inclut une garantie de remboursement? Cela vous intéresserait-il?

Client : Puisque c'est simple et que je gagnerai du temps, je suppose que cela fera mon affaire!

Top vendeur : (Confirme la réponse.) Alors, allons-y, essayez-le. Vous serez heureux de votre décision. Vous gagnerez du temps. Nous allons le livrer samedi.

c) « *Téléphonez-moi dans deux semaines.* »

Client : Veuillez me rappeler dans deux semaines.

Top vendeur : (Écoute)

(Prévoit.) Je comprends que vous soyez occupé.

(Sympathise.) Je réagirais comme vous dans la même situation.

(Clarifie.) Puis-je vous demander ce qui vous empêche d'acheter maintenant?

Client : Je pars en vacances la semaine prochaine.

Top vendeur : (Clarifie.) Alors, c'est parce que vous partez en vacances la semaine prochaine?

Client : Oui.

Top vendeur : À part les vacances, y a-t-il quelque chose qui vous fait remettre à plus tard?

Client : Pas vraiment.

Top vendeur : (Répond aux objections.) Qu'arriverait-il si vous pouviez profiter tout de suite du produit qui vous fera économiser sur les coûts, donc, augmenter les profits, qui facilitera les tâches de travail et qui aidera au développement de l'entreprise pendant que vous serez en vacances. Cela vous intéresserait-il ?

Client : Dans ce cas-là, je crois que oui.

Top vendeur : (Confirme.) Alors, allons-y, essayez-le. Vous serez heureux de l'avoir fait. De combien en avez-vous besoin, deux ou trois ?

Maintenant, voyons comment réfuter les objections d'un client difficile qui utilise presque toutes les objections.

Exemple : (Dans le cas d'un ordinateur.)

Client : Je n'en ai pas besoin. Je suis satisfait sans ordinateur.

Top vendeur : (Écoute.)

(Prévoit.) Je comprends ce que vous voulez dire.

(Sympathise.) Je réagirais comme vous dans la même situation.

(Clarifie.) Puis-je vous demander pourquoi vous réagissez ainsi face aux ordinateurs ?

Client : Mon ami en a acheté un semblable et il a eu des problèmes.

Top vendeur : Avec quoi exactement a-t-il eu des problèmes ?

Client : C'était un système très complexe qui demandait une formation et le service était lent.

Top vendeur :	Qu'arriverait-il si votre ami avait un appareil facile à utiliser, une formation et un bon service. Est-ce que vous réagiriez différemment ?
Client :	Peut-être, mais l'ordinateur est trop coûteux.
Top vendeur :	(Clarifie.) Comparé à celui que vous avez en tête ?
Client :	Peut-être pas si cher, mais je n'en ai pas vraiment besoin.
Top vendeur :	(Clarifie.) Et si vous en aviez besoin, l'achèteriez-vous ?
Client :	Je crois que oui.
Top vendeur :	Qu'arriverait-il si, grâce à votre ordinateur, vous pouviez augmenter votre productivité, économiser, produire d'excellents rapports et avoir une formation donnée par un expert qui restera sur place pendant deux semaines ? De plus, vous auriez une garantie de remboursement total. Est-ce que cela vous intéresse ?
Client :	Si je peux le retourner et avoir un remboursement total au cas où je ne serais pas satisfait, je suppose que oui.
Top vendeur :	(Confirme.) Alors, allons-y et essayez-le. Vous serez heureux de votre décision. Préférez-vous la livraison mardi ou mercredi ?

Comme vous le constatez, les objections sont des questions ou des inquiétudes présentées par le client potentiel pour avoir plus de raisons d'acheter. Réfuter les objections est comme un jeu auquel les top vendeurs aiment participer. Ce qu'il faut, c'est le pratiquer et se rappeler le modèle de précision et les sept règles. Vous n'avez rien à perdre et beaucoup à gagner. Croyez-moi, vous serez heureux de l'avoir fait. N'êtes-vous pas d'accord ? Maintenant, préparez-vous à suivre le top vendeur pour aller à la prochaine étape du cycle de vente, avec ses essais de conclusion et les 20 plus puissantes techniques de conclusion d'une vente.

CHAPITRE

Conclure la vente :
le plaisir ultime

*Rien n'est plus difficile
et donc plus précieux que
d'être capable de décider.*

Napoléon Bonaparte

Conclure une vente consiste à aider les gens à prendre les bonnes décisions, en se basant sur ce que vous croyez être le mieux pour eux. En concluant la vente, non seulement vous aidez quelqu'un à bénéficier de votre produit ou de votre service, mais vous atteignez aussi vos objectifs et prouvez que vous êtes compétent ; rien ne se passera vraiment tant que vous n'aurez pas connu ce plaisir ultime.

LES 2 RAISONS POUR LESQUELLES LES GENS ACHÈTENT

Les gens achètent pour deux raisons :

- obtenir du plaisir et faire un profit ;
- éviter les peines et les pertes.

Selon la situation et les circonstances, quelqu'un peut acheter une maison à bas prix pour pouvoir profiter plus tard de la plus-value de la maison, tout en y habitant et en profitant de celle-ci. Quelqu'un d'autre peut acheter une voiture pour éviter d'attendre l'autobus chaque jour sous la pluie et au froid, et afin d'éviter les pertes de temps. Pour que les gens achètent, ils doivent faire l'expérience de ce que j'appelle le processus de prise de décision.

LES 5 ÉTAPES DU PROCESSUS DE PRISE DE DÉCISION

Quand les gens pensent à acheter, ils traversent cinq étapes avant de prendre une décision.

1. **La reconnaissance du problème :** la personne reconnaît qu'elle fait face à un problème dont la résolution demande qu'elle agisse. Par exemple, sa vieille voiture lui coûte beaucoup en entretien, perte de temps et tracas. Elle reconnaît le problème et décide de changer de voiture.

2. **La motivation primaire :** une fois le problème reconnu, la personne commence à faire des démarches pour le résoudre. Par exemple, elle peut chercher une nouvelle voiture, mais n'en choisit aucune en particulier.

3. **L'évaluation :** à cette étape, la personne va commencer à évaluer différents produits qui pourraient offrir une solution à son problème. Par exemple, elle peut évaluer différents modèles de voitures.

4. **La motivation du choix :** à cette étape, la personne sait quel modèle elle veut et fait son choix. Par exemple, elle décide d'acheter une Toyota.

5. **La décision (le résultat) :** finalement, la personne prend sa décision, qui peut être basée sur une décision rationnelle ou une décision émotionnelle.

   a) *La décision rationnelle :* la personne est plus intéressée par les choses matérielles, telles que faire un profit, bénéficier de coûts moindres et économiser de l'argent et du temps.

b) *La décision émotionnelle :* la personne va baser sa décision sur ses émotions. Cela peut lui apporter du plaisir, du bonheur, un sentiment de confort, de peur, de pouvoir, de satisfaction face à son image ou encore, lui donner une impression de bien-être.

LA DÉCISION

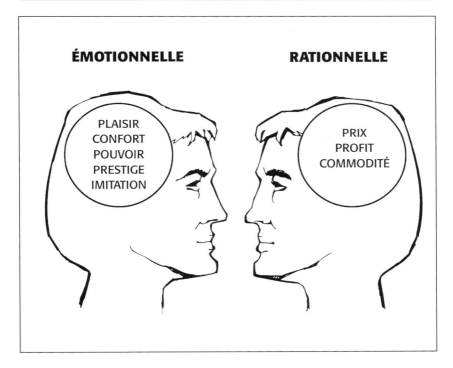

LE PROCESSUS DE PRISE DE DÉCISION

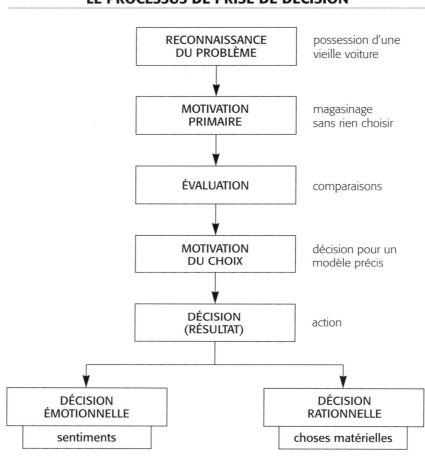

Il est essentiel de comprendre que la décision d'une personne peut être influencée par ses expériences antérieures et par la façon dont elle a pris ses décisions dans le passé. Elle peut s'en souvenir et suivre la même stratégie. Elle peut aussi être influencée par l'environnement et les rôles joués par les autres, comme les membres de sa famille et ses amis. Elle peut fonder sa décision sur l'information qu'elle a reçue d'eux.

Le **top vendeur** connaît bien le processus de prise de décision et les raisons qui motivent son client à prendre la décision d'acheter son produit. Il sait que plus de 98 % des gens achètent pour des raisons émotionnelles, et que seulement 2 % le font pour des raisons rationnelles. Donc, le **top vendeur** concentre ses efforts pour créer de l'intérêt, augmenter le désir d'acheter et amener les clients à passer des décisions rationnelles aux décisions émotionnelles.

LES 9 POINTS À CONSIDÉRER
AVANT DE CONCLURE UNE VENTE

1. Soyez réaliste. Pour plusieurs raisons, il vous arrivera de perdre une vente. Le défi est d'augmenter le nombre de vos ventes et de ne pas avoir d'ulcère pour celles que vous avez perdues. Personne n'est parfait.

2. Soyez souple. Quelle que soit la méthode, ça ne marche pas à tout coup et avec chaque client. Parfois, vous devrez employer plus d'une méthode pour conclure une vente.

3. Résumez les avantages de votre produit pour aider votre client à se souvenir de sa valeur, mais n'en dites pas trop. Sachez quand arrêter et conclure la vente.

4. Soyez confiant en concluant la vente. Puis, restez silencieux et laissez parler le client. Rappelez-vous que si vous parlez le premier, vous pouvez perdre la vente.

5. Souvenez-vous que les émotions peuvent faire vendre ou, au contraire, faire perdre la vente. Bâtissez votre conclusion de vente sur les sentiments et les émotions.

6. Ne faites pas attention au premier « non ». Retournez aux avantages du produit et suscitez l'intérêt du client.

7. Vérifiez le degré de son intérêt en utilisant les essais de conclusion.

8. Ayez vos papiers déjà prêts. Lorsque vous les remplissez, évitez le silence total. Vous risquez de perdre l'intérêt du client, continuez à le regarder de temps en temps et laissez-le parler. L'important est d'éviter le silence total.

9. Souvenez-vous que les gens ne sont pas des décideurs. Amenez-les à prendre la décision et à ne pas changer d'avis jusqu'à la vente.

QUAND CONCLURE LA VENTE : « LE FEU VERT »

Choisir le bon moment est le facteur crucial dans le processus de conclusion d'une vente. Certains vendeurs croient qu'il vaut mieux conclure la vente plus tôt, lors de la présentation, pour ne pas perdre de temps. Si le client potentiel est intéressé, il achètera. Sinon, il formulera des objections que le vendeur réfutera. Toutefois, on risque de précipiter le processus et de perdre la vente. D'autres vendeurs croient qu'il faut répéter la présentation et les avantages aussi longtemps que le client écoute. C'est une autre erreur, car le client peut simplement être poli et perdre l'intérêt. Connaître le moment propice est la règle du jeu et le **top vendeur** sait quand le client est prêt. Mais y a-t-il un bon moment ?

Oui, le bon moment existe, mais il n'y a pas de règles ou de lois qui le fixent. Les seules instructions à suivre sont les signaux fournis par le client. Ces signaux peuvent être des expressions du visage, des attitudes corporelles, un ton de voix ou certains commentaires. Voici les « signaux de feu vert » qui indiquent le bon moment :

1. Les expressions faciales

Tout ce que le client ressent paraît sur son visage :

    a) Il dirige les yeux vers le centre, les sourcils baissés ;

    b) Il hoche la tête affirmativement ;

    c) Il sourit calmement, ce qui démontre la satisfaction quant aux avantages du produit.

2. Le langage corporel

C'est la façon par laquelle le client communique des messages au monde extérieur :

a) Il joue avec ses cheveux ou sa moustache ;

b) Il tapote sur la table avec ses doigts ;

c) Il caresse son menton ;

d) Il passe le doigt sur ses lèvres ;

e) Il a l'air nerveux et il évite de regarder dans les yeux ;

f) Il se penche en avant ;

g) Il s'assoit en arrière, de façon détendue, les yeux fixés sur le mur ou sur le plafond.

3. La voix

a) Le client change de ton et ralentit le débit ;

b) Le client change de ton et accélère le débit.

Vous devez comprendre que l'interprétation du langage corporel ou la communication non verbale est un art, une habileté qui exige une formation. Je ne suggère pas que vous comptiez uniquement là-dessus pour déterminer le bon moment ou que vous l'ignoriez complètement. Ce qu'il faut, c'est faire attention à tous les gestes de votre client. Le langage corporel est un outil fantastique, mais il peut être mal interprété et il peut vous faire perdre la vente.

4. Certains commentaires

C'est la méthode la plus importante et de loin la plus sûre pour déterminer le bon moment de conclusion d'une vente. Le prospect posera certaines questions et fera quelques commentaires qui vous montreront son niveau d'intérêt. Voici quelques exemples :

a) Je peux l'essayer ?

b) Faites-vous la livraison après les heures de bureau ou durant la fin de semaine ?

c) Pouvez-vous me montrer comment ça fonctionne ?

d) Lequel, selon vous, est le meilleur ?

e) L'avez-vous dans différentes couleurs ?

f) Est-ce possible d'avoir une garantie prolongée ?

g) Est-ce que votre compagnie finance ? Quel est le taux d'intérêt ?

h) De combien est le dépôt ?

i) Vous avez un bon point. C'est sûrement bon ?

j) Pouvez-vous me dire quelle est la différence entre les deux modèles ?

k) Donnez-vous la formation ? Combien de temps dure la période de formation ?

5. Un intérêt particulier

Une autre méthode pour déterminer le moment approprié est lorsque le client montre un intérêt particulier :

a) Quand il écoute et que soudain, il pose une question ;

b) Quand il regarde son partenaire ou sa femme et lui demande son opinion (qu'est-ce que tu en penses ?) ;

c) Quand il intervient durant votre présentation ;

d) Quand il accepte vos essais de conclusion.

Le bon moment existe. Le top vendeur le reconnaît quand il a donné une présentation complète et qu'il est sûr que le client l'a bien comprise. Il le sent en observant le client, en écoutant ses commentaires, en repérant ses intérêts particuliers, en étudiant son langage corporel et en déterminant si le moment est propice (en général, il l'est). La clé est d'être attentif et observateur, de regarder dans les yeux et d'écouter attentivement.

« VOYONS OÙ ÇA PIQUE » :
L'ART DES ESSAIS DE CONCLUSION

Afin de déterminer le niveau d'intérêt de son client, le **top vendeur** posera quelques questions. Cela lui donnera le « signal de feu vert » pour amener le client à acheter son produit et à conclure la vente. Voici quelques exemples :

1. La commande cachée

Quand il résume les avantages du produit et sent que le niveau d'intérêt du prospect augmente, le **top vendeur** demande :

Top vendeur : Le produit a un grand potentiel. Êtes-vous d'accord avec moi ?

Client : Oui.

Top vendeur : Allons-y et essayez-le.

Les commandes cachées ne sont pas menaçantes pour le client. Le **top vendeur** sonde simplement ses réactions et son niveau d'intérêt.

2. La supposition

Supposez simplement qu'il a déjà acheté le produit. Par exemple : « Je vais utiliser l'adresse de votre domicile » ou « Je vous inscris à notre plan de protection. »

3. Le choix

Un excellent essai de conclusion. Vous donnez au client simplement le choix entre deux ou trois options. Par exemple :

Top vendeur : Le préférez-vous en blanc ou en noir ?

Client : Je crois que blanc, c'est bien. Vous avez d'autres couleurs ?

4. La réponse par une question

Client :	Faites-vous la livraison la fin de semaine ?
Top vendeur :	Préférez-vous la livraison en fin de semaine ?
Client :	Oui.
Top vendeur :	Je vais l'écrire.

5. L'engagement

Cet essai vous amène à poser deux questions. Si le client répond à la seconde question, cela voudra dire qu'il est intéressé et achètera. Par exemple :

Top vendeur :	Serez-vous le seul conducteur de l'auto ou est-ce que votre femme la conduira aussi ?
Client :	Ma femme la conduira aussi.

6. L'épellation du nom et le mot « appuyez »

Par exemple : « Pourrais-je avoir la bonne épellation de votre nom ? » et « Vous allez devoir appuyer, la troisième copie est la vôtre ».

Si je vous demande de me gratter le dos, cela ne veut pas dire que vous savez où ça pique. En vous servant des essais de conclusion vous saurez où ça pique. Quand ces méthodes fonctionnent, le **top vendeur** progresse vite, il se sert du niveau d'intérêt du client et conclut la vente.

Le bon moment existe. Le **top vendeur** le sait et le sent en posant des questions pour déterminer le niveau d'intérêt de son client, il observe ses gestes, les expressions de son visage, ses mouvements et son ton de voix. Il écoute attentivement ses commentaires « feu vert » et utilise la méthode des essais de conclusion. Ce qu'il faut, c'est prêter attention, observer, regarder dans les yeux, employer l'essai de conclusion et écouter attentivement tout le temps. Alors, vous ne manquerez jamais le bon moment.

LA SÉQUENCE DE CONCLUSION DE VENTE (S.C.D.V.)

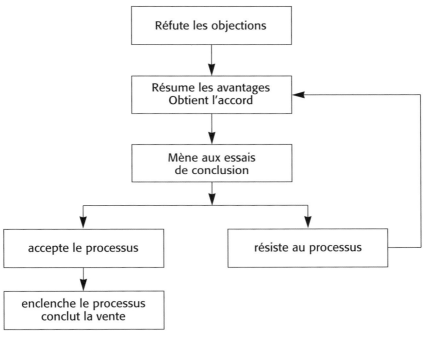

LA SÉQUENCE DE CONCLUSION DE VENTE

La séquence de conclusion de vente ou S.C.D.V. est un excellent outil pour vous faire comprendre le processus de conclusion des ventes. Vous devez répondre aux objections, puis résumer les avantages du produit, confirmer les réponses, et obtenir l'accord en posant des questions qui, vous le savez, auront des réponses positives. Puis, faites un essai de conclusion et posez des questions. Si le client résiste au processus, cela signifie qu'il n'est pas complètement décidé.

À ce moment, insistez sur les avantages du produit et suscitez de nouveau son intérêt en employant plusieurs stratégies. Si le client accepte le processus, continuez à le mener dans cette voie et concluez la vente.

LES MÉTHODES DE CONCLUSION D'UNE VENTE

J'ai mentionné auparavant qu'une seule méthode ne peut pas toujours fonctionner parce que les gens et les situations ne sont pas identiques. Parfois, vous devez employer plus d'une technique pour conclure une vente. J'ai rencontré plusieurs **top vendeurs** canadiens et américains et leurs expériences étaient très semblables. Ils devaient parfois utiliser plus de six différentes conclusions pour aboutir à une vente.

Quand vous utiliserez les puissantes techniques de conclusion que vous allez découvrir dans ce chapitre, soyez souple et choisissez celles qui conviennent à votre produit ou à votre service. Pratiquez jusqu'à ce que vous les ayez assimilées et que vous puissiez les utiliser automatiquement.

LES 20 PLUS PUISSANTES MÉTHODES DE CONCLUSION D'UNE VENTE

1. La conclusion directe

Cette méthode est très élémentaire. Vous allez directement à la conclusion et demandez au client d'acheter. Cela fonctionne très bien une fois que vous avez résumé les avantages du produit et senti que le client comprend et que son niveau d'intérêt augmente. Continuez en utilisant des essais de conclusion, puis concluez la vente. Voici un exemple de son fonctionnement :

Top vendeur :   Maintenant que nous avons examiné tous les avantages du produit et que vous les comprenez, que vous savez que mon produit va faire augmenter vos profits et votre productivité, allons-y, essayez-le. Vous serez heureux de l'avoir fait.

La conclusion directe peut être adaptée à n'importe quelle situation et peut être utilisée seule ou avec une autre méthode de conclusion.

2. La conclusion avec choix

Cette conclusion peut être utilisée pour obtenir des rendez-vous avec les clients potentiels et comme essai de conclusion. Elle consiste en une série de questions qui offrent au client deux options ou plus, ce qui évite de lui donner un seul choix et d'obtenir une réponse négative. Dans une conclusion avec choix, quel que soit celui du client, la vente en bénéficie, parce que cette conclusion est une décision d'acheter. Voici deux exemples de son fonctionnement :

Exemple 1 :

Top vendeur : Vous avez vraiment l'air très élégant dans votre nouveau manteau. Quelle couleur préférez-vous, noir ou brun ?

Client : Je pense que le brun va très bien.

La conclusion avec choix peut très bien fonctionner quand elle est combinée avec la conclusion directe.

Exemple 2 :

Top vendeur : N'êtes-vous pas d'accord qu'avec votre nouvel ordinateur vous auriez plus de contrôle ?

Client : Oui, sûrement.

Top vendeur : Allons-y, essayez-le. Vous serez heureux de l'avoir fait. Préférez-vous la livraison vendredi ou samedi ?

Donner le choix est un excellent outil à utiliser et le **top vendeur** sait comment le transformer en une vente.

3. La conclusion de la supposition

Quand vous allez voir un film, la personne qui vend les billets ne vous demande pas « voulez vous voir un film ? » Si vous allez au restaurant, le serveur ne vous demande pas si vous voulez manger. La personne qui vend les billets tient pour acquis que vous voulez voir un film, elle passe directement à l'étape suivante et vous vend le billet. De même, le serveur tient pour acquis que vous avez faim et que vous voulez manger et il vous présente le menu. La supposition est la même dans les ventes. Le client est d'accord pour vous rencontrer parce qu'il est intéressé, autrement, il ne vous aurait pas donné rendez-vous. Avec cette conclusion, le **top vendeur** suppose que la vente est faite. Voici quelques exemples de son fonctionnement :

Top vendeur :

1. Je ferai en sorte que la formation sur votre nouvel ordinateur commence mercredi prochain.

2. Je vais vous montrer une jolie cravate pour votre nouveau costume.

3. Je vais utiliser votre adresse à domicile pour vous envoyer les papiers.

4. Je vais utiliser l'adresse de votre bureau pour vous envoyer la facture.

Les suppositions peuvent très bien fonctionner à cause de leur nature non menaçante. Vous n'avez pas demandé au client d'acheter, vous avez juste supposé qu'il achèterait. Cette conclusion de vente peut être combinée avec les deux précédentes.

4. La conclusion de l'engagement

La conclusion de l'engagement est très forte et peut être facilement adaptée à n'importe quel produit ou service. Quand elle est utilisée correctement, au bon moment et avec un ton de voix particulier, elle peut passer presque inaperçue alors que le client s'engage dans le processus de prise de décision. Il suffit de poser deux questions au prospect. La première consiste à fixer la vente. La seconde consiste à la projeter dans l'avenir en faisant en sorte que votre client imagine comment il va utiliser le produit, comment il peut en profiter et qui, à part lui, va l'utiliser.

Quand le client répond à la seconde question, il répond automatiquement et indirectement à la première et il fixe la vente. Cela veut dire qu'il ne se demandera plus s'il achète ou non le produit, mais plutôt qui va l'utiliser, comment et où. Voici quelques exemples du fonctionnement de cette conclusion :

Top vendeur :   Vous savez que votre nouvel ordinateur sera un grand atout pour vous, en plus de tout le plaisir qu'il vous apportera. Au fait, serez-vous le seul à l'utiliser ou quelqu'un d'autre de l'administration l'utilisera également ?

Comme vous pouvez le voir, s'il répond à la seconde question, il répond automatiquement à la première et achète votre produit. Voici quelques exemples pour différents produits et services :

L'assurance :
Est-ce que votre épouse sera la seule bénéficiaire de votre police d'assurance ou est-ce que vos enfants le seront aussi ?

L'équipement de bureau :
Est-ce que vous allez être la seule personne à utiliser le photocopieur ou d'autres personnes vont-elles l'utiliser également ?

Le concessionnaire d'automobiles :
Serez-vous le seul conducteur de votre nouvelle voiture ou votre épouse la conduira-t-elle aussi ?

La conclusion de l'engagement peut être utilisée avec n'importe quel produit ou service, mais cela ne veut pas dire qu'elle fonctionnera avec n'importe quel type de client. Elle est très puissante. Apprenez-la par cœur, pratiquez-la, et profitez de ses avantages.

5. La conclusion émotionnelle

Comme je l'ai déjà mentionné, les émotions peuvent déclencher une vente ou, au contraire, l'empêcher. Quand la conclusion émotionnelle est utilisée correctement, avec les bons gestes kinesthésiques, le bon ton de voix, le contact des yeux, une croyance vraie et sincère dans le produit ou le service, c'est la meilleure conclusion pour le client ; elle rejoint ses émotions et l'encourage à décider d'acheter le produit.

Voici un exemple de son fonctionnement :

(Un couple marié magasine dans une boutique de vêtements. La femme essaie une robe coûteuse.)

Top vendeur : (Parlant au mari.) Votre épouse est vraiment jolie dans cette robe.

(Ensuite, il regarde la femme et s'adresse à elle.) Cette robe vous va à ravir.

(Parlant au mari.) N'êtes-vous pas d'accord ? (Normalement, le mari répond « oui ».)

(Parlant à la femme.) Vous êtes vraiment choyée, il n'y a pas beaucoup d'hommes qui magasinent avec leur femme et qui choisissent une aussi belle robe.

Le **top vendeur** a passé par quatre étapes :

1. Mettre le mari à l'aise en le félicitant sur la beauté de sa femme ; en même temps, la femme entend le commentaire ;

2. Adresser un compliment à la femme en lui disant qu'elle est jolie dans sa nouvelle robe ;

3. Obtenir le consentement du mari ;

4. Fixer la vente en disant au mari que sa femme apprécie le fait qu'il soit là et qu'il achète avec elle une jolie robe. Elle est contente de son mari et, en même temps, le mari se sent apprécié.

En provoquant ces émotions, la vente passera presque inaperçue. La conclusion émotionnelle peut être utilisée quand les membres de la famille sont présents ou quand les clients sont un couple.

6. La conclusion « Je ne peux pas assumer cette dépense »

Elle consiste à calculer la différence entre le prix de vente et le budget du client, puis à diviser la différence par la durée d'utilisation du produit ou du service et à obtenir un prix minime par jour. Cette méthode montre au client que les avantages du produit et sa valeur dépassent de beaucoup le montant de l'investissement. Voici un exemple de son fonctionnement :

Un client fait des objections concernant la différence entre le prix de vente d'une maison qui coûte 180 000 $ et sa limite de budget qui est de 168 000 $. Le top vendeur sait que le prix de vente est fixe et non négociable.

Client :	Je ne peux pas assumer cette dépense. Les 12 000 $ de plus dépassent de beaucoup ce que mon budget me permet.
Top vendeur :	Vous êtes d'accord que vous aimez vraiment la maison et que votre famille aura du plaisir à y vivre. En plus, la maison va certainement prendre de la valeur. N'êtes-vous pas d'accord avec moi ?
Client :	Oui.
Top vendeur :	Si vous achetez cette maison, pendant combien de temps comptez-vous y habiter ?

Client : Au moins 10 ans.

Top vendeur : 10 ans x 12 mois = 120 mois

120 mois x 30 jours = 3 600 jours

La différence est de 12 000 $ divisés par 3 600 jours = 3,33 $ par jour.

Pour seulement 3,33 $ par jour, vous pourrez avoir la maison de vos rêves et votre famille y sera heureuse. Allons-y, essayez. Vous serez content de l'avoir fait.

7. La conclusion par une série de questions

Cette conclusion est utilisée quand le client semble être confus et qu'il n'arrive pas à se décider. En d'autres mots, il n'est pas encore vraiment convaincu et il continue à trouver des excuses pour éviter d'acheter le produit, mais il est quand même intéressé. Le **top vendeur** a besoin :

- D'augmenter le niveau d'intérêt du client.
- D'aider le client en le dirigeant vers la prise de décision.

Pour cela, il va utiliser la conclusion par une série de questions. Ces questions vont résumer les avantages du produit et le vendeur obtiendra du client un accord sur ces avantages, ce qui va aider le client à se rappeler à quel point il va profiter du produit. Voici un exemple :

Client : (Résiste.) Je ne sais pas, je ne suis pas sûr de vouloir le produit.

Top vendeur : (Clarifie.) Est-que je peux vous demander pourquoi ?

Client : J'ai besoin de plus de temps pour m'assurer que ce produit me convient vraiment.

Top vendeur :	N'êtes-vous pas d'accord que mon produit va vous aider à économiser ?
Client :	Oui, je suis d'accord.
Top vendeur :	Et qu'il vous aidera aussi à augmenter vos profits ?
Client :	Oui.
Top vendeur :	Et c'est ce que vous voulez vraiment. Pas seulement parce qu'il utilise la plus récente technologie, mais aussi parce que vous l'aimez vraiment. Vous l'apprécierez.
Client :	Oui.
Top vendeur :	Alors, allons-y, essayez-le. Vous serez heureux de l'avoir fait.

8. La conclusion du pouvoir de l'imagination

Cette conclusion est très puissante et elle peut passer en douceur, sans être remarquée. Le **top vendeur** utilise l'imagination du client dans sa présentation. Il faut que le client s'imagine qu'il possède le produit, qu'il l'utilise et qu'il en profite. Il faut qu'il imagine combien sa famille va l'apprécier pour son achat. Cette conclusion va rejoindre ses émotions et va lui faire voir qu'il réalise un de ses rêves ; il achètera le produit. Voici un exemple de son fonctionnement :

Le **top vendeur** est dans l'immobilier.

Top vendeur :	Imaginez-vous dans votre arrière-cour, entouré de votre famille et de votre épouse, utilisant votre piscine et votre barbecue. Vos enfants nagent et ont beaucoup de plaisir. Pouvez-vous vous imaginer comment vous allez être heureux et combien votre famille vous appréciera ? Vous pouvez réaliser votre rêve immédiatement. Allons-y, essayez. Vous serez heureux de l'avoir fait.

9. La conclusion de la psychologie inversée

Cette conclusion est utilisée quand le client fait l'important et pose beaucoup de questions, vous montre sa bague en diamants et sa montre en or, mais n'achète rien. Il regarde simplement les articles coûteux sans prendre de décision. Cette conclusion va simplement agir sur son ego et lui faire prendre une décision. Voici un exemple de son fonctionnement :

Chez un concessionnaire d'automobiles

Client :	Quel est le prix de l'auto ?
Top vendeur :	30 000 dollars.
Client :	C'est tout ? Alors, vous allez inclure d'autres avantages ? Le prix n'est vraiment pas important pour moi. Mon épouse a une Cadillac et je veux quelque chose qui me conviendra et qui fonctionnera sans problèmes.
Top vendeur :	Je ne crois pas que vous ayez besoin de quelque chose d'aussi coûteux. Est-ce que je peux vous montrer quelque chose de moins cher ?
Client :	Non. Celle-ci est bien.
Top vendeur :	C'est trop coûteux pour vous. Laissez-moi vous montrer quelque chose de moins coûteux.
Client :	(S'énervant.) J'ai dit non ! Cette voiture est bien.
Top vendeur :	Bon. Allons-y. Essayez-la. Je sais que vous serez heureux de l'avoir fait.

10. La conclusion de l'attitude négative

Cette conclusion est utilisée quand le client fait l'important, joue le difficile et formule des objections sans aucune raison. Il essaie de montrer qu'il en connaît plus sur le produit que le **top vendeur**. Avec cette conclusion, le **top vendeur** donnera à son client une excellente présentation professionnelle, il lui montrera un grand respect, et sera poli et conservateur. Il agira comme s'il était indifférent à ce que le client achète ou non. Il lui dira qu'il a vendu à trois clients importants aujourd'hui parce que ce produit supérieur leur convenait. L'attitude négative augmentera la curiosité du client et il voudra en savoir plus, par exemple, pourquoi ce produit ne lui convient pas. Cela donnera au **top vendeur** l'occasion de continuer avec les mêmes tactiques et de conclure la vente. Voici un exemple de son fonctionnement :

Top vendeur :	Vous êtes sûrement d'accord qu'il y a une différence entre une Volkswagen et une Rolls Royce. N'est-ce pas ?
Client :	Oui. Bien sûr.
Top vendeur :	Et une Rolls Royce n'attire pas tout le monde, n'est-ce pas ?
Client :	Je suis d'accord avec vous.
Top vendeur :	Pour posséder une Rolls Royce, vous devez avoir les moyens financiers et les qualifications appropriées. N'est-ce pas ?
Client :	Oui. (À ce point, il est très curieux de savoir pourquoi toutes ces questions sont posées et il devient irrité.)
Top vendeur :	Vous savez que mon entreprise ne choisit que les produits de qualité supérieure et avoir une Rolls Royce demande des qualifications. Il est requis que le client soit qualifié pour devenir propriétaire de notre produit supérieur.

Le **top vendeur** se penche poliment en avant, regarde le client dans les yeux et demande : « Êtes-vous qualifié pour être le propriétaire de notre produit ? » À ce moment, le client commence à justifier ses qualifications. Il parlera de ses moyens financiers au lieu de se concentrer sur l'achat du produit.

Le **top vendeur** conserve la même attitude et dit : « Si vous pensez vraiment être qualifié pour mon produit, allons-y, essayez-le. »

11. La conclusion de l'attitude positive

Cette conclusion peut être adaptée à n'importe quel produit ou service et peut être utilisée avec n'importe quel type de client, spécialement le « gentil » et le « positif ».

Pour utiliser cette méthode correctement, vous devez respecter les règles suivantes :

- Montrez une conviction totale envers votre produit ou votre service ;

- Soyez très sincère ;

- Faites en sorte que votre client s'exprime positivement sur votre produit au cours de votre présentation. Puis reprenez tous les points sur lesquels le client était d'accord lorsque vous résumez le tout ;

- Résumez les questions.

Si vous exprimez une croyance sincère, le client sentira votre sincérité et aura la même attitude. Il sera alors prêt à prendre la décision d'acheter. Vous pouvez le mener à la conclusion de la vente en utilisant la même stratégie et le même enthousiasme. Voici un exemple de son fonctionnement :

Top vendeur : Je crois vraiment en ce produit. J'en ai un moi-même et je me demande pourquoi tout le monde n'en a pas un. Il est vraiment au point. Vous ne croyez pas ?

Client : Oui (normalement, il dit « oui » pour avoir la même croyance).

Top vendeur : Vous savez que ce produit vous fera économiser beaucoup, n'est-ce pas ?

Client : Oui, je sais.

Top vendeur : Il augmentera votre productivité, ne croyez-vous pas ?

Client :	Oui.
Top vendeur :	Je veux vraiment vous aider à commencer à bénéficier de mon produit tout de suite. Allons-y, essayez-le. Vous serez heureux de l'avoir fait.

12. La conclusion qui accule le client à l'achat

Cette conclusion est employée quand le client est intéressé, mais qu'il continue à faire d'autres objections qui semblent difficiles à réfuter. Le **top vendeur** utilise alors cette méthode en isolant l'objection et en la retournant au client pour qu'il prenne la décision de l'achat. Voici trois exemples de son fonctionnement :

Exemple 1 :	Immobilier
Client :	Cette maison n'a que trois chambres à coucher. J'aimerais en avoir quatre.
Top vendeur :	Si je vous en trouve une semblable avec quatre chambres à coucher, est-ce que vous prendrez une décision aujourd'hui ?
Exemple 2 :	Concessionnaire d'automobiles
Client :	Je n'aime pas vraiment le rouge. J'aime le bleu.
Top vendeur :	Si je vous en trouve une bleue, est-ce que vous prendrez une décision et approuverez les papiers aujourd'hui ?
Exemple 3 :	Livraison
Client :	Je veux la livraison le 9 du mois, pas plus tard. Pouvez-vous faire ça ?
Top vendeur :	Si je vous garantis la livraison pour le 9, prendrez-vous votre décision aujourd'hui ?

Par ces trois exemples, vous pouvez remarquer que :

1. Le top vendeur n'a pas répondu par un « oui » tout de suite, car il ne voulait pas risquer de perdre la vente.

Client :	Faites-vous la livraison la fin de semaine ?
Top vendeur :	Oui, nous le faisons.
Client :	Merci. Je voulais juste m'informer.

Le **top vendeur** met la réponse de côté pour faire en sorte que le client réponde à sa question. S'il répond à la question, cela signifie qu'il achètera le produit.

2. Le **top vendeur** connaît tous les avantages offerts par sa compagnie.

3. Il peut fournir tous les avantages qu'il a promis au client.

13. La conclusion utilisant les commentaires du client satisfait

Cette conclusion exerce une très forte influence. Elle peut être utilisée avec n'importe quel type de client et peut être facilement adaptée à toute situation, parce qu'elle prouve au client potentiel que d'autres personnes sont satisfaites du produit ou du service.

Le **top vendeur** utilise cette conclusion quand il voit que son client est très analytique, du type « penseur ». D'habitude, ce genre de client a une stratégie visuelle. Il aime en voir plus et analyser davantage pour pouvoir évaluer la situation correctement et fonder sa décision d'achat sur une base solide ; de cette façon, il est sûr d'avoir pris la bonne décision.

Le **top vendeur** présente à son client potentiel des commentaires bien rédigés de clients satisfaits afin que ce dernier se sente plus en sécurité. Cela prouve que beaucoup d'autres personnes ont profité du produit et qu'ils expriment leur gratitude au **top vendeur** en écrivant leurs commentaires. Cette conclusion a beaucoup d'influence et aidera le client à prendre sa décision d'achat. Voici un exemple de son fonctionnement :

Client :   Avez-vous vendu ce produit à d'autres personnes ?

Top vendeur :   Oui, à plusieurs.

Client :   Sont-ils satisfaits de ce produit ?

Top vendeur :   Non seulement ils sont satisfaits, mais ils profitent des avantages du produit au maximum.

                         (Maintenant, le **top vendeur** va diriger.)

                         Permettez-moi de vous montrer une liste de commentaires de plusieurs clients qui sont très satisfaits d'avoir acheté mon produit et qui sont heureux d'en profiter.

Le **top vendeur** montre au client une liste de commentaires et de lettres. Sachant que le client aime analyser la situation, le **top vendeur** doit préparer plusieurs photocopies à l'avance pour laisser des exemplaires à ses clients potentiels.

Top vendeur :   Maintenant que vous savez combien de personnes sont heureuses d'employer mon produit, ne pensez-vous pas que vous devriez vous joindre à eux et commencer à en bénéficier aussi ? Allons-y, essayez-le. Vous serez heureux de l'avoir fait.

14. La conclusion proposant une deuxième option

Alors que j'étais directeur général d'un hôtel, un vendeur est venu me voir pour me vendre un photocopieur. Son approche et sa présentation étaient très bonnes. Il avait même apporté un photocopieur avec lui et l'avait laissé à l'extérieur de l'hôtel dans un camion. C'était un bon vendeur. Il voulait que j'essaie la machine pendant un mois. Il avait une très bonne approche et une bonne stratégie, mais le seul problème était le prix. Le photocopieur était très sophistiqué et coûteux ; il fut déçu quand j'ai décliné l'offre. Je trouvais qu'il aurait dû m'offrir d'autres choix. Il ne m'offrait rien de moins coûteux en compromis. Il ne m'a donné qu'une option, et non seulement il a perdu mon enthousiasme, mais il a aussi perdu la vente. La conclusion de la deuxième option est parfaite quand toutes les objections, sauf celle du coût, sont écartées et que vous savez que c'est une vraie objection. Le **top vendeur** doit être prêt à offrir un deuxième choix. Voici un exemple de son fonctionnement :

Top vendeur :   Je crois vraiment qu'une police d'assurance d'un million de dollars vous conviendrait très bien.

Client :   Pouvez-vous me dire combien je devrais payer par mois ?

Top vendeur :   Votre versement mensuel sera de 350 $.

Client :   Mon Dieu ! J'aimerais bien en avoir les moyens financiers, mais vraiment je ne peux pas.

Top vendeur :   Comme je l'ai mentionné plus tôt, je suis ici pour vous aider et je veux que vous soyez satisfait. Prenons une assurance de 500 000 $. Votre versement mensuel sera de 170 $. Qu'en pensez-vous ?

Client :   Cela me semble mieux.

Top vendeur :   Alors, allons-y. Essayez. Vous serez heureux de l'avoir fait.

15. La conclusion de l'occasion

Cette conclusion fonctionne bien avec un client qui veut temporiser et remettre ses décisions à l'année suivante, ou qui continue à formuler diverses objections comme les stocks, la fin de l'année, l'obligation de remettre au budget de l'année prochaine, etc. Il veut simplement repousser la décision d'acheter. En même temps, il continue à dire qu'il est intéressé et qu'il croit au produit et au **top vendeur**, mais qu'il veut acheter l'année suivante.

Le **top vendeur** va alors utiliser la conclusion de l'occasion pour montrer à son client qu'en achetant maintenant, il peut économiser et éviter les augmentations de l'année prochaine. Le client bénéficiera aussi des avantages gratuits que l'entreprise offre seulement cette année et qui ne seront pas disponibles l'année suivante. En utilisant son pouvoir de persuasion, le **top vendeur** convainc le prospect d'investir cette année parce que c'est préférable pour lui. Il aide son client à aller de l'avant et à acheter son produit.

La date de livraison est essentielle dans cette conclusion. Le **top vendeur** l'utilisera pour confirmer sa vente. Voici un exemple du fonctionnement de cette conclusion :

Client :	Oui, je suis intéressé, mais je veux le produit seulement l'année prochaine.
Top vendeur :	Est-ce que je peux vous demander ce qui vous empêche d'acheter cette année ?
Client :	C'est la fin de l'année. Nous sommes le 1er novembre et nous faisons l'inventaire annuel le 30 novembre. De plus, toutes les sommes prévues au budget sont dépensées cette année.
Top vendeur :	Alors, c'est le budget, l'inventaire et aussi la livraison. C'est ça ?
Client :	Oui.
Top vendeur :	Vous êtes d'accord avec moi que mon produit vous fera faire des économies. N'est-ce pas ?
Client :	Oui.

Top vendeur :	J'aimerais vous mentionner que l'année prochaine les prix vont augmenter de 10 %. Si vous attendez jusqu'à l'année prochaine, vous allez payer davantage, et de plus, vous ne bénéficierez pas des économies que mon produit vous fera faire. N'êtes-vous pas d'accord ?
Client :	Oui, mais…
Top vendeur :	J'aimerais aussi mentionner qu'en investissant cette année, vous bénéficiez d'un mois d'essai gratuit.
Client :	Je suis d'accord avec tout cela, mais je ne peux pas recevoir d'équipement cette année. Je ne veux pas augmenter mon inventaire.
Top vendeur :	Et si je vous garantis les prix de cette année et un mois d'essai gratuit et que je vous fais livrer votre produit en janvier prochain ? Est-ce que vous approuverez les papiers aujourd'hui ?
Prospect :	Dans ce cas, oui. L'occasion est très bonne.
Top vendeur :	Allons-y, essayez. Vous serez heureux de l'avoir fait.

16. La conclusion « J'ai besoin de votre aide »

Cette conclusion fonctionne très bien avec presque tout le monde. Cela vient de ce qu'elle touche les émotions du client et renforce son ego. Elle le fait sentir important, apprécié et nécessaire. Comme William James l'a souligné : « les êtres humains ont un désir intense d'être appréciés », et ce type de conclusion le fera.

Laissez-moi vous raconter l'histoire d'une **top vendeuse** qui travaillait comme journaliste indépendante pour une revue d'actualités. Elle devait trouver des personnes qui avaient réussi et leur vendre de l'espace publicitaire. Elle a créé une des plus intelligentes conclusions de vente que j'aie jamais vues. Voici comment :

> Elle téléphonait à une personne qui avait réussi et expliquait qu'elle avait entendu parler d'elle et qu'elle aimerait la rencontrer et écrire l'histoire de sa réussite et de son entreprise. Le client lui donnait immédiatement rendez-vous. (Qui ne le ferait pas ?) Durant la rencontre, elle lui posait des questions pour l'encourager à parler de lui, aussi longtemps que nécessaire. Elle lui faisait des compliments sur lui et sur ses réponses ; elle le faisait se sentir très important et lui disait que les gens devraient en savoir plus sur ses réalisations. Elle disait : « C'est vraiment fantastique. Je suis vraiment excitée de montrer cela au public. Et vous ? » Il donnait son accord. « Je veux seulement que vous me permettiez de faire connaître votre histoire au public. Naturellement, vous savez qu'il y a un engagement mineur, n'est-ce pas ? » Le client disait : « Je comprends. » Elle disait ensuite qu'elle avait besoin d'une de ses photos. En réalité, ce qu'elle faisait, c'est qu'elle le faisait se sentir important et formidable et lui montrait que les gens l'admiraient et elle avait la vente. Avec cette conclusion, elle a augmenté ses ventes de 200 %. C'est ce que j'appelle être un vrai **top vendeur**. Cette histoire est vraie, j'étais un de ses clients.

Cette conclusion fonctionne de la même façon. Faites que le client se sente important et renforcez son ego. Vous pourrez conclure la vente sans que le client ne s'en rende compte. Voici un exemple de son fonctionnement :

Top vendeur :   J'apprécie vraiment le temps que vous me consacrez et votre aide pour améliorer ma connaissance. J'ai entendu dire que vous étiez un maître dans votre domaine, que vous preniez toujours de bonnes décisions et que votre entreprise vous doit sa réussite.

Une fois que le **top vendeur** a renforcé l'ego du client potentiel, il commence sa présentation cachée et montre les avantages de son produit.

Top vendeur :   Je crois vraiment en mon produit et en mon entreprise. Non seulement le produit permet d'économiser mais il augmente aussi le profit. Les gens profitent vraiment des avantages offerts par mon produit.

Une série de questions suit.

Top vendeur :   Est-ce que je peux vous poser quelques questions ?

Client :   Allez-y.

Top vendeur :   Êtes-vous d'accord que mon produit a du potentiel ?

Client :   Oui.

Top vendeur :   Et que ses avantages sont utiles pour n'importe quelle organisation ?

Client :   Oui.

Top vendeur :   De quoi d'autre auriez-vous besoin si vous pensiez à acquérir mon produit ?

Client :   (Maintenant il est l'enseignant et le dirigeant.) J'aimerais l'essayer pendant un mois sans frais. J'aimerais avoir une formation complète pour mon personnel et que la livraison soit faite à la fin de la semaine. De plus, j'aimerais payer par versements mensuels.

Top vendeur :   C'est formidable. Je ne sais pas comment vous remercier pour cette information.

C'est le moment de l'approche « mener et attaquer ».

Top vendeur :	Qu'arriverait-il si vous pouviez avoir tout cela et en plus une garantie prolongée d'un an ? Cela vous intéresserait-il ?
Client :	Oui, bien sûr.
Top vendeur :	Pourquoi n'essayez-vous pas mon produit ?
Client :	D'accord, mais j'ai un mois gratuit, c'est ça ?
Top vendeur :	Vous l'avez. Maintenant, allons et remplissons les papiers. Vous serez content de l'avoir fait. Et une fois de plus, merci beaucoup. Vous m'avez beaucoup aidé.

Comme vous le voyez, le **top vendeur** a mené depuis le début et a conclu sans que le client ne se rende compte de ce qui s'était passé. Cependant, le client sait :

a) Qu'il est apprécié ;

b) Qu'il aime le vendeur ;

c) Que le produit est très bon.

17. La conclusion du « Je vais y penser » ou du club du temporisateur

Cette conclusion est utilisée avec le client intéressé, mais qui veut y penser, dormir, méditer, etc., jusqu'à ce qu'il l'oublie complètement. Croyez-vous le client quand il vous dit qu'il va rappeler ? Croyez-vous qu'il aura toujours le même niveau d'intérêt ? Certainement pas. Quand le client est intéressé, il achète, point final. Cette conclusion vise à faire rire le client de lui-même et à le diriger vers l'achat. Voici un exemple de son fonctionnement :

Client :	Oui, j'aime le produit, mais j'aimerais y penser.

Top vendeur :   Connaissez-vous l'histoire des deux diables ?

Client :   Non, qu'est-ce que c'est ?

Top vendeur :   En enfer, Satan était entouré de ses diables et il leur demanda s'ils avaient des idées pour amener plus de gens en enfer. Alors, un diable dit : « Je pourrais amener 75 % du monde, mais j'ai besoin d'aller sur terre deux fois. » Satan dit : « D'accord, mais comment allez-vous faire ? » Le diable dit : « Je vais m'habiller comme un mortel, aller sur terre et dire aux gens que Dieu et le diable n'existent pas et qu'ils peuvent jouir de la vie autant qu'ils le désirent sans avoir peur d'aller en enfer. De cette façon, je pourrais en avoir 50 %. Puis je retournerais une semaine plus tard et je leur dirais que je me suis trompé. Qu'il y a un Dieu, un diable, un ciel et un enfer. Tout ce qu'ils ont à faire c'est de prier une fois par semaine ; le restant de la semaine, ils peuvent faire ce qui leur plaît. Cela m'en donnera 75 %. » Satan félicita le diable malin et demanda si quelqu'un d'autre pouvait faire mieux. Un autre diable dit : « Je pourrais avoir tout le monde ici en très peu de temps. » « Comment ferez-vous cela ? » demanda Satan. Le diable répondit : « C'est vraiment simple. Nous savons tous que les gens ne prennent pas de décision. Ils aiment temporiser et réfléchir sur tout. Je m'habillerai comme un mortel, j'irai sur terre et je dirai aux gens qu'il y a un Dieu, un diable, un ciel et un enfer, le bien et le mal, des prophètes et une religion et que j'ai une bonne affaire pour eux. S'ils prient et s'ils sont bons et suivent les 10 commandements, je garantis qu'ils iront tous au ciel. Mais je leur donnerai tout le temps pour y penser. Cela amènera tout le monde ici. »

(Normalement, le client rira.)

Top vendeur : Saviez-vous que dans mon entreprise, nous voulions ouvrir un « club de temporisateurs », mais nous avons décidé d'attendre et d'y penser.

(Le client va encore rire.)

Top vendeur : (Il rappelle rapidement les avantages du produit.) Vous aimez mon produit, n'est-ce pas ?

Prospect : Oui.

Top vendeur : Alors, allons-y, essayez-le. Vous serez content de l'avoir fait.

18. La conclusion du vieux sage Ben

Cette conclusion est utilisée avec un client qui semble confus et qui a peur de prendre la mauvaise décision et mentionne qu'il ne peut pas se décider. Cette conclusion a été adaptée à la profession de vendeur et vient de Benjamin Franklin, qui était considéré comme l'un des hommes les plus sages d'Amérique. Quand il avait besoin de prendre une décision importante et était confronté à un problème délicat, il prenait une feuille de papier et dessinait une ligne au milieu. D'un côté, il écrivait « oui » et de l'autre, « non ». Puis il écrivait toutes les réponses positives sous « oui » et toutes les réponses négatives sous « non ». Ensuite, il les comptait et le côté du plus grand nombre gagnait. Le **top vendeur** utilisera cette stratégie pour aider le client à se décider et à acheter le produit. Mais, en utilisant cette conclusion, le **top vendeur** sait que la colonne du « oui » devra être supérieure à la colonne du « non ». Voici un exemple de son fonctionnement :

Client :	Vraiment, je ne peux pas me décider aujourd'hui !
Top vendeur :	Je peux imaginer cela. J'aurais les mêmes réactions. Savez-vous comment un des hommes les plus sages d'Amérique prenait ses décisions quand il faisait face à une décision semblable ?
Client :	Non, je ne sais pas ?
Top vendeur :	(La feuille est préparée d'avance comme un diagramme.) Il utilisait une simple feuille de papier comme celle-ci et écrivait dans la colonne « oui » tous les points positifs et dans la colonne « non » tous les points négatifs. Ensuite, il les comptait. Sa décision était prise sur mesure. Essayons et voyons comment ça marche.
	Écrivons ensemble tous les avantages sur lesquels vous êtes d'accord. (Le top vendeur aide le client à écrire tous les avantages.)
	Maintenant, vous pouvez écrire tous les points négatifs vous-même. (Le top vendeur n'aide pas le client pour les points négatifs.) Comptons-les. Vous pouvez juger que la décision « oui » se prend d'elle-même, vous êtes d'accord ? (Dirigez dès maintenant la conversation pour conclure la vente.) Allons-y, essayez-le. Vous serez content de l'avoir fait. Le préférez-vous noir ou vert ?

Si le client répond à la conclusion par le choix, il achètera ; sinon, vous devez retourner aux avantages et changer votre stratégie. L'objection principale sera généralement le coût.

LA CONCLUSION DU VIEUX SAGE BEN

OUI (ACHETER)	NON (NE PAS ACHETER)
1.	1.
2.	2.
3.	3.
4.	4.
5.	5.
6.	6.
(etc.)	

19. La conclusion tout usage

Cette conclusion peut être adaptée à presque n'importe quel produit ou service et à n'importe quelle situation. La conclusion donne quatre résultats importants si elle est utilisée correctement :

1. Elle isole l'objection du client ;

2. Elle montre brièvement les avantages ;

3. Elle fait en sorte que le client soit d'accord ;

4. Elle conclue la vente.

Voici un exemple de son fonctionnement :

Client :   Je connais votre produit, mais j'utilise celui de votre concurrent.

Top vendeur :   Puis-je vous demander ce que vous aimez particulièrement dans le produit de mon concurrent ?

Client :   Les prix sont bons ainsi que le service. J'économise et j'augmente ma productivité. Je suis très satisfait.

Top vendeur :	(Isole l'objection.) Y a-t-il autre chose que vous aimez ?
Client :	Non, c'est tout.
Top vendeur :	Qu'arriverait-il si vous pouviez avoir tout cela maintenant, plus un mois d'essai gratuit et une garantie prolongée. Penseriez-vous à changer ?
Client :	Si je pouvais avoir le même produit et plus d'avantages, je crois que oui.
Top vendeur :	Allons-y, essayez-le. Vous serez heureux de l'avoir fait.

Comme vous pouvez le voir, le **top vendeur** a :

1. Isolé l'objection : (À part ça, y a-t-il autre chose ?)

2. Montré les avantages : (vous avez tout ça, plus [avantage 1], plus [avantage 2].)

3. Obtenu un accord : (Je crois que oui.)

4. Conclu la vente : (Allons-y, essayez-le.)

20. La conclusion du dernier recours

Cette conclusion est utilisée seulement quand toutes les conclusions possibles ont été rejetées par le client qui formule des objections différentes sans aucune justification et qui joue le difficile. Le **top vendeur** va utiliser cette conclusion pour montrer au client qu'il admet avoir perdu la vente et que le client a gagné. Il va ensuite poser des questions pour en savoir plus. Puis, il va donner l'impression d'être surpris, il va retourner aux avantages et conclure la vente. Voici un exemple de son fonctionnement :

Top vendeur :	(Donne l'impression d'être vaincu mais garde le sourire.) Je sais que vous ne voulez pas investir aujourd'hui. Comme vous le savez, je suis vendeur et j'ai confiance en mon produit et en mon entreprise. Pouvez-vous me dire ce que

	j'ai fait qui vous empêche réellement d'acheter? Pour être sûr de ne pas faire la même erreur avec quelqu'un d'autre?
Client:	(Il va vous donner sa véritable objection puisqu'il ne se sentira plus pris dans vos filets.)
Top vendeur:	(Donne l'impression d'être choqué.) Mon Dieu! C'est pour cela que vous avez agi de cette façon? J'aurais agi comme vous. Laissez-moi vous expliquer comment ça fonctionne.

Le **top vendeur** est de nouveau sur le bon chemin et il peut travailler sur les vraies objections jusqu'à la conclusion de la vente.

Maintenant, futurs **top vendeurs**, vous avez dans les mains toutes les techniques pour venir à bout de chaque objection en utilisant les sept règles pour les réfuter et le modèle de précision (Chapitre 5). Vous connaissez également les 20 plus puissantes méthodes de conclusion d'une vente. Pour conclure ce chapitre, je voudrais que vous vous rappeliez quatre points:

1. Une seule méthode de conclusion de vente ne va pas réussir en tout temps. Soyez souple.

2. Quand vous demandez au client de passer à l'action et d'acheter, ne parlez plus et laissez le client prendre sa décision.

3. Quand vous concluez la vente et que vous avez la commande en main, arrêtez de vendre. Remerciez votre client et partez. Surtout ne faites pas de survente.

Je vais vous raconter comment j'ai perdu une vente parce que je suis devenu trop excité après avoir eu le contrat et que j'ai continué à vendre.

Alors que j'étais gérant d'un hôtel de Montréal, j'ai voulu augmenter l'occupation de 18 %. J'ai lancé une importante campagne pour obtenir le marché des équipages de lignes aériennes et j'avais presque le contrat en main avec une des compagnies. Je suis devenu vraiment excité et j'ai continué à vendre. En faisant cela, j'ai mentionné qu'ils auraient du plaisir dans notre piscine extérieure. Mon client a répondu : « Vous n'avez pas de piscine à l'intérieur ? » J'ai dit : « Non, mais nous avons… » Le client m'a interrompu et a dit : « Monsieur Elfiky, vous êtes formidable et nous vous aimons vraiment, mais nos équipages ont besoin d'une piscine à l'intérieur. Merci quand même. » J'ai perdu la vente à cause de la survente.

Laissez-moi vous raconter une autre histoire qui illustre la même idée. Il y avait une femme qui voulait que sa fille épouse un catholique. Le fiancé était protestant. La mère montra à sa fille la façon de le mener à se convertir. La fille réussit et ils se marièrent. Un mois après le mariage, la fille retourna à la maison en larmes.

La mère :   Qu'est-ce qui s'est passé ?

La fille :   Nous allons divorcer !

La mère :   Comment ça ? J'ai cru que tu lui avais vendu l'idée de se convertir ?

La fille :   Oui, je l'ai fait, mais je l'ai tellement bien vendue qu'il veut devenir prêtre !

Évitez de survendre. Quand vous avez la commande, remerciez votre client et partez.

4. Pratiquez vos techniques jusqu'à ce qu'elles deviennent une seconde nature. **Ce que vous savez n'est pas important, c'est ce que vous faites avec ce que vous savez qui compte.**

Commencez à mettre vos techniques en pratique dès maintenant et continuez. Souvenez-vous, futurs **top vendeurs**, si vous persévérez, vous allez récolter ce que vous avez semé. Rien ne va changer tant que vous ne changerez pas.

LA STRATÉGIE « AVANCÉE » DE CONCLUSION DE VENTE DU **TOP VENDEUR**

L'une des meilleures stratégies utilisées par le top vendeur consiste à créer et à maintenir une relation avec le client, à poser des questions de métaprogramme pour découvrir ses besoins et ses désirs liés à ses valeurs. Elle préconise également le recours à la technique de récapitulation pour obtenir continuellement l'accord du client et mener ce dernier à la décision en utilisant la technique du découpage.

Cette stratégie vise aussi à faire en sorte que le client ne manifeste pas de résistance et qu'il demeure réceptif.

La stratégie de pointe qu'applique le top vendeur pour conclure une vente comporte quatre étapes principales :

1. Créer et maintenir une relation avec le client

À cette étape, le top vendeur affiche un sourire chaleureux et porte une attention particulière à ce qui suit :

La physiologie du client. Sa façon de bouger, de s'asseoir, de respirer, les gestes qu'il fait et les expressions de son visage. Le top vendeur, le plus naturellement possible, commence à imiter le comportement de son client afin de créer entre eux une sympathie aux niveaux conscient et inconscient.

Le système de représentation du client. Si le client est visuel et utilise des verbes et des noms visuels (prédicats) comme *voir, montrer, se concentrer, imaginer, clair,* etc., ou s'il est auditif et utilise un langage auditif (prédicats) comme *entendre, écouter, dire* ou encore s'il est plutôt du type kinesthésique et qu'il utilise un vocabulaire (prédicats) en rapport avec les sens comme *toucher, sentir,* le top vendeur doit adopter le vocabulaire et le système de représentation de son client et devenir visuel avec le client visuel, auditif avec le client auditif et kinesthésique avec le client kinesthésique.

Les expressions et les mots particuliers. Le top vendeur écoute attentivement le client pour repérer les mots ou les expressions que ce dernier répète comme *excellent, action spectaculaire, rapide, important, service, profit, éviter, améliorer,* etc., et il s'en sert pour établir avec son client un lien puissant de sympathie.

2. Poser des questions de métaprogramme

Le métaprogramme a été découvert par le docteur Richard Bandler, cofondateur de la programmation neurolinguistique (PNL), puis a été développé par Roger Bailey. Il s'agit d'un modèle de communication basé sur la PNL et qui permet de déterminer rapidement la façon dont votre client voit le monde, son mode de pensée, ses intérêts et ses préoccupations, son état d'esprit et ce qui compte pour lui en fonction de ses valeurs et de ses convictions. Dans son livre intitulé *Time Line Therapy*, le docteur Tad James affirme que de connaître le métaprogramme de quelqu'un peut aider à prédire ses actions ou ses réactions. Je vous présente ici ce que je considère comme les quatre filtres les plus importants du métaprogramme complexe qui conviennent le mieux à l'industrie de la vente :

Le filtre de la direction

À l'aide de ce métaprogramme, vous pouvez découvrir la direction que suit habituellement le client dans la vie afin de savoir qui il est :

1. Il prend les devants (il passe à l'action et prend rapidement une décision).

2. Il prend les devants, mais avec un peu de retenue (il passe à l'action mais avec quelque crainte).

3. Il aime prendre les devants, mais aime aussi se laisser guider (il veut passer à l'action mais préfère se laisser convaincre).

4. Il recule plus souvent qu'il ne prend les devants (il trouve difficile de prendre une décision mais, au fond de lui, il veut acheter).

5. Il recule (c'est le genre de personne qui a besoin de plus de temps, de renseignements supplémentaires et qui va acheter uniquement pour fuir la douleur et la perte).

Comment faire pour reconnaître ces cinq types ? En posant les questions simples qui suivent :

– Qu'est-ce qui est important pour vous dans… ? ou

– Qu'est-ce que vous recherchez dans… ?

Exemple

Le top vendeur vend une nouvelle voiture à son client en utilisant le métaprogramme.

Top vendeur : Qu'est-ce qui est important pour vous dans une voiture ?

Client : Un prix convenable, quatre portes, une bonne consommation d'essence.

Top vendeur : Quoi d'autre ?

Client : Une garantie.

Top vendeur : Quoi d'autre ?

Client : La couleur. Je la veux rouge.

Top vendeur : Quoi d'autre ?

Client : L'air climatisé et la direction assistée.

Donc, en demandant au client « Qu'est-ce qui est important pour vous ? » et en ajoutant « Quoi d'autre ? » , vous apprendrez ce que veut le client et la direction qu'il suit.

Le filtre des raisons

À l'aide de ce métaprogramme, le **top vendeur** peut découvrir la raison pour laquelle le client prend les devants ou recule en lui posant la question suivante :

Pourquoi choisissez-vous ?

Exemple

> **Top vendeur :** Puis-je vous demander pourquoi vous avez besoin d'une voiture ?
>
> Client : Je voyage beaucoup, j'accorde beaucoup d'importance à la voiture.

Si le client recule, voici comment le découvrir.

> **Top vendeur :** Puis-je vous demander pourquoi vous utilisez cet ordinateur ?
>
> Client : Je ne veux pas en acheter un autre, ils sont trop chers.

Donc, dans les deux cas, le **top vendeur** peut trouver la raison du comportement du client.

Le filtre de la démonstration servant à convaincre

À l'aide de ce métaprogramme, le **top vendeur** découvrira comment s'y prendre pour convaincre le client. Ainsi, une personne peut se laisser convaincre dès la première fois et acheter immédiatement, alors qu'il faudra deux fois à une autre pour se laisser convaincre ; et cela peut aller jusqu'à sept fois dans certains cas avant que la personne soit totalement convaincue et décide d'acheter. Le visuel veut voir une démonstration, l'auditif veut entendre des faits pour se convaincre et le kinesthésique doit se sentir bien pour prendre une décision.

Comment découvrir la façon de convaincre votre client ?

En posant les questions suivantes :

– Comment avez-vous… ?

– Combien de fois… ?

Exemple

> **Top vendeur :** Comment avez-vous choisi d'acheter votre ordinateur ?

Client : J'ai lu les journaux, puis je me suis rendu dans une boutique spécialisée ; j'ai visité trois autres boutiques et j'ai tenu compte de l'opinion de ma femme et enfin j'ai décidé d'acheter de cette boutique.

Top vendeur : Combien de fois vous a-t-il fallu voir, écouter, ressentir avant de vous décider ?

Client : Au moins cinq endroits (personnes).

Donc, en se servant du métaprogramme du filtre de la démonstration servant à convaincre, le **top vendeur** a saisi la stratégie qu'utilise le client et sa façon de se laisser convaincre.

Récapitulation

En utilisant ce métaprogramme, vous pouvez découvrir si le client veut voir une image d'ensemble et veut aller à l'essentiel sans se préoccuper des détails ou s'il est du genre minutieux ou encore un mélange des deux.

Comment ? en posant la question suivante :

– Préférez-vous habituellement voir d'abord une image d'ensemble ou voulez-vous d'abord connaître les détails ?

Exemple

Top vendeur : Quand vous achetez une voiture, préférez-vous habituellement voir la couleur et l'auto dans son ensemble ou vous pencher d'abord sur les détails ?

Client : Je veux d'abord voir une image d'ensemble.

Donc, le **top vendeur** apprend que son client préfère ne pas se préoccuper des détails mais plutôt obtenir une image d'ensemble de la voiture.

Voici maintenant un exemple qui montre comment utiliser le filtre des quatre métaprogrammes :

Direction :

Top vendeur : Qu'est-ce qui est important pour vous dans une voiture ?

Client : La couleur, la dimension, la consommation d'essence et le prix.

Top vendeur : À part ça, qu'est-ce qui est important pour vous dans une voiture ?

Client : La garantie, l'air climatisé.

Raisons :

Top vendeur : (passe au deuxième filtre) Parfait, puis-je vous demander pourquoi toutes ces caractéristiques sont importantes pour vous ?

Client : Je voyage beaucoup, j'ai besoin d'une bonne voiture.

Façon de se laisser convaincre :

Top vendeur : Comment avez-vous choisi votre auto actuelle ?

Client : En rencontrant un concessionnaire d'automobiles.

Top vendeur : Combien de fois l'avez-vous fait ?

Client : Au moins cinq fois.

Découpage :

Top vendeur : Préférez-vous habituellement voir une image d'ensemble ou les détails ?

Client : Les détails. Je suis maniaque des détails.

Le **top vendeur** connaît maintenant les valeurs du client et de quelle façon il prend ses décisions d'achat. La seule chose qui reste à savoir : le client peut-il prendre une décision tout de suite ou doit-il consulter d'autres personnes pour obtenir leur avis ou leur soutien ? Comment le savoir ? en posant la question d'action :

Top vendeur :	À part vous, y a-t-il quelqu'un d'autre qui prendra la décision ?
Client :	Non, je décide seul ou Oui, ma femme.

Dans les deux cas, le **top vendeur** connaît la stratégie d'action de son client.

Le **top vendeur** n'a plus qu'à passer à l'étape suivante de sa puissante stratégie et à se servir de la technique de récapitulation.

Récapitulation :

À l'aide de ce métaprogramme complexe, vous obtiendrez toujours des réponses positives de la part de votre client parce que vous lui renvoyez ses propres valeurs et vous faites appel à ses bonnes émotions.

Exemple

Si je vous demande : « La santé, est-ce que c'est important pour vous ? », vous répondrez toujours « Oui ». Donc, en utilisant ce métaprogramme complexe, vous faites en sorte que votre client soit toujours d'accord et vous maintenez la relation avec lui.

Voici un autre exemple.

Top vendeur :	Qu'est-ce qui est important pour vous dans une voiture ?
Client :	Le prix, la garantie, le confort et l'air climatisé.
Top vendeur :	(pour obtenir une réponse positive) Donc, le prix, la garantie et le confort sont importants pour vous ?
Client :	Oui.

Comme vous pouvez le constater, le fait de découvrir les valeurs auxquelles tient le client et de les lui renvoyer vous rapproche du résultat tout en maintenant la relation avec lui.

Une fois que le **top vendeur** possède suffisamment de points d'entente solides basés sur les valeurs du client, il passe à l'étape suivante de sa stratégie et se sert de la technique du découpage.

Découpage :

À l'aide de ce métaprogramme complexe, le **top vendeur** amènera son client à l'étape finale et au résultat souhaité. Le **top vendeur** comprend que plus il a recours au découpage, plus il risque de faire naître des objections. Tout ce qu'il doit faire, c'est de reprendre les points d'entente (récapitulation) et de les découper en posant des questions liées aux valeurs.

Exemple

Top vendeur : La santé, est-ce que c'est important pour vous ?

Client : Oui, évidemment.

Top vendeur : (découpe la question) Le brocoli aussi est bon pour la santé. Êtes-vous d'accord ?

Client : Peut-être, mais je n'aime pas le brocoli.

Top vendeur : (récapitule) Mais vous êtes d'accord avec moi que la santé, c'est important pour vous ?

Client : Oui.

Top vendeur : Quelle sorte de légumes préférez-vous ?

Client : Les tomates, la laitue, le concombre, le poivron vert.

Top vendeur : Parfait, comme ça, vous aimez les salades.

Client : Oui.

Top vendeur :	(commence à faire le lien entre son appareil à couper la salade et les valeurs du client) Donc, si vous pouviez avoir un appareil qui vous aiderait à préparer une délicieuse salade rapidement et de façon très économique sans trop de pertes, est-ce que cela vous intéresserait ?
Client :	Est-ce qu'il a une garantie ?
Top vendeur :	Une garantie de deux ans et une garantie de remboursement de 30 jours.
Client :	Je serai le seul à l'utiliser.
Top vendeur :	Parfait, laissez-moi vous montrer l'appareil.

Comme vous le voyez, le **top vendeur** continue le découpage seulement lorsqu'il obtient une réponse positive et, s'il fait face à une objection, il retourne au point d'entente et reprend le découpage à l'aide d'une stratégie différente et en posant d'autres questions.

Voici un exemple complet qui montre comment le **top vendeur** se sert de sa puissante stratégie.

Le **top vendeur** est un **top vendeur** de voitures ; il rencontre un client qui regarde les voitures et lui demande le prix d'une auto.

Client :	Quel est le prix de cette voiture ?
Top vendeur :	Cette voiture est une quatre cylindres, entièrement équipée avec un moteur de 2,8 L.
	Qu'est-ce que vous cherchez dans une voiture ?
	(Comme vous l'avez remarqué, le **top vendeur** n'a pas donné le prix au client, mais a insisté sur les avantages de la voiture puis a commencé à utiliser sa stratégie.)

Client :	Bien, je veux une voiture rouge, quatre cylindres, confortable et avec l'air climatisé.
Top vendeur :	Quoi d'autre est important pour vous dans une voiture ?
Client :	4 portes avec beaucoup d'espace.
Top vendeur :	Parfait, donc une voiture rouge, quatre cylindres, confortable avec air climatisé et quatre portes avec beaucoup d'espace. C'est ce que vous cherchez ?
Client :	Oui.
Top vendeur :	J'ai exactement ce que vous voulez. Laissez-moi vous la montrer.

Puis le **top vendeur** se sert du découpage pour atteindre le résultat souhaité par lui et par ses clients.

APPLICATION DE LA STRATÉGIE DE VENTE AVANCÉE

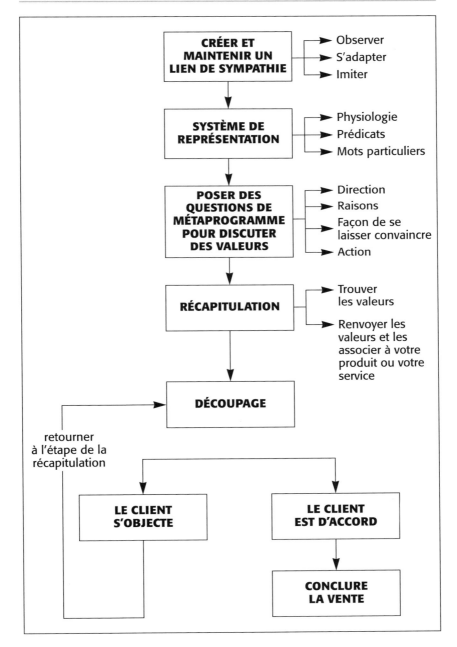

La dernière impression qui assure la réussite ultime

Conclure la vente n'est pas sa fin,
c'est là que la vente
commence vraiment.

Ibrahim Elfiky

Vous avez votre récompense pour un travail bien fait. Une récompense pour tout le bon travail que vous avez fait depuis que vous avez commencé à vous préparer à la vente : vous avez trouvé et reconnu votre client potentiel, vous l'avez approché, rencontré, vous avez mérité sa confiance, et présenté votre produit d'une façon profession- nelle pour susciter l'intérêt et créer un désir. Vous êtes ensuite venu à bout de chaque objection et vous avez utilisé les essais de conclusion. Vous avez obtenu un profit bien mérité : vous avez conclu la vente. Vous êtes semblable à un athlète olym- pique : il travaille très fort pour obtenir la médaille d'or, puis il recommence. Il sait que gagner la médaille est une chose, mais que garder le titre en est une autre. **Pouvez-vous garder la médaille ?** La conclusion de la vente n'est que le début de la vente.

LA DIFFÉRENCE QUI FAIT TOUTE LA DIFFÉRENCE

Après avoir conclu la vente, le vendeur moyen va simplement commencer à chercher de nouveaux clients et travailler fort pour conclure une autre vente. Il croit qu'après la conclusion de la vente, son rôle est terminé. C'est pour cela qu'il perd d'anciens clients et qu'il continue à en chercher de nouveaux. Il se plaint que les affaires sont dures et il se demande ce qui est arrivé aux gens. Se sont-ils tous ligués pour ne pas acheter son produit, ou sont-ils partis pour une autre planète ?

Le **top vendeur** sait que la vente commence après la conclusion. La conclusion est le début d'une relation durable avec le client, basée sur la confiance et le respect. Il sait qu'en concluant la vente, il a gagné un ami et un client.

MAINTENANT JE SUIS QUALIFIÉ…

Quand vous concluez une vente, vous devenez qualifié pour aider vos clients. Quand j'ai obtenu ma ceinture noire de Kung-Fu, mon maître m'a félicité et a dit :

> « Maintenant, vous êtes qualifié pour l'entraînement. » J'étais choqué. J'ai demandé : « Pourquoi toutes ces années d'entraînement et de dur labeur ? » Il a souri et a dit que ce n'était que la fondation de mon avenir dans les arts martiaux : la base. « Maintenant, vous êtes comme un étudiant à l'école secondaire qui travaille fort pour obtenir son diplôme, puis devient qualifié pour la mère de toutes les écoles… la vie ! » Le **top vendeur** comprend maintenant qu'il est qualifié pour aider ses amis. Pas seulement pour livrer ce qu'il a promis, mais aussi pour assurer sa réussite. Après tout, il sait qu'il veut être qualifié pour toujours.

8 POINTS À NE PAS OUBLIER
APRÈS AVOIR CONCLU UNE VENTE

1. Le client a investi en achetant un produit. Il achète non seulement pour la qualité du produit, mais aussi pour la qualité du service offert ;

2. Les clients satisfaits peuvent engendrer plus de 80 % des futures affaires. Ils sont la principale source de références et de ventes répétées ;

3. Les gens apprécient le service intangible et s'aperçoivent de tous les suppléments offerts. Les petits extra comptent beaucoup ;

4. Les gens vont payer plus pour un meilleur service ;

5. La perte de clients à cause du mauvais service a beaucoup à voir avec l'intégrité du vendeur ;

6. Un client insatisfait coûte trop cher ;

7. Le service après-vente est aussi important que la vente elle-même ;

8. Le vendeur a pour but de fournir à son client le meilleur service possible pour garder une relation bonne et durable.

AVEZ-VOUS DÉJÀ CALCULÉ LE COÛT DE
LA CONCLUSION D'UNE VENTE ?

Avez-vous déjà calculé le coût du marketing, de l'impression, des brochures et du temps investi pour conclure une vente ? Je vous laisse le plaisir de faire vos propres calculs, mais je vous assure que c'est élevé. Selon l'American Marketing Association, le coût de la visite d'un représentant dans une entreprise s'élève à 287 $U.S. N'est-ce pas énorme ?

Et le coût des références et des affaires répétées ? Est-il aussi énorme ? Bien sûr que non. C'est pour cela que le **top vendeur** redouble d'efforts après avoir conclu la vente. Pour lui, c'est une des raisons pour lesquelles il doit travailler encore plus fort. Non seulement pour réduire les coûts et faire des profits, mais aussi pour avoir plus d'amis et avoir le privilège d'être un **top vendeur**.

UN BILLET D'ALLER SIMPLE À VOTRE CONCURRENT

Comment le client se sent-il quand il reçoit un mauvais service ?

Laissez-moi vous donner un exemple. Disons que le client a acheté une nouvelle voiture. La voiture est tombée en panne pour une raison ou une autre. Il a appelé le concessionnaire pour la faire réparer. Voici ce qui lui est arrivé :

1. Il a été mis en attente sur une ligne pendant 10 minutes ;

2. Il a ensuite été mis en communication avec le mauvais service ;

3. Il a finalement pu avoir le service, mais il a été mis en attente une seconde fois ;

4. Quand il a réussi à parler à quelqu'un du service, on lui a donné un rendez-vous dans un mois ;

5. Quand il a demandé un rendez-vous plus tôt, la personne a répondu : « Je regrette, je ne peux rien faire de plus et c'est la seule date que j'ai de disponible. »

6. Il s'est plaint au gérant de service qui lui a dit qu'ils étaient très occupés et que, malheureusement, il ne pouvait rien faire ;

7. Il a appelé son vendeur ; celui-ci a reconfirmé ce que le gérant lui avait dit.

Vous pouvez vous imaginer comment le client s'est senti. Soyez sûr qu'il n'achètera plus de ce vendeur ni de cette entreprise. Cette entreprise va devoir dépenser beaucoup en publicité et en marketing afin d'avoir de nouveaux clients pour remplacer ceux qu'elle a perdus. Cependant, nous devons aussi être réalistes et nous attendre à ce que, parfois, les clients soient déçus pour diverses raisons. C'est l'occasion pour le **top vendeur** de montrer à son client qu'il se soucie de lui.

LES 6 ATTITUDES DU **TOP VENDEUR** QUAND UN PROBLÈME SE PRÉSENTE

1. Il présente des excuses pour ce qui est arrivé ;
2. Il est d'accord avec le client et le remercie de l'avoir informé ;
3. Il fait savoir au client qu'il est de son côté et qu'il va faire tout son possible pour rectifier la situation ;
4. Il agit immédiatement, et s'en occupe jusqu'à ce que le problème soit résolu ;
5. Il encourage le client à le contacter de nouveau s'il a d'autres problèmes ;
6. Il rappelle le client pour s'assurer de son entière satisfaction.

Ce n'est pas beaucoup, n'est-ce pas ? Face à cette attitude professionnelle, le client sera satisfait et fidèle au **top vendeur**.

Il y a une différence entre promettre au client que vous vous occupez de lui et le lui montrer. C'est ce qui fait la différence entre le **top vendeur** et le vendeur moyen.

LES 5 STRATÉGIES DU TOP VENDEUR POUR GARDER SES CLIENTS MOTIVÉS

1. *Envoyer des mots de remerciement*
   Après avoir conclu la vente, le **top vendeur** envoie à son client une courte note ou une carte pour le remercier de lui avoir fait confiance et l'assurer de sa collaboration pour un bon service.

2. *Avoir plus de renseignements sur ses clients*

   Le **top vendeur** va tout faire pour en savoir plus sur ses clients. Il aura l'information nécessaire pour leur faire une surprise avec d'agréables cadeaux ou des notes pour des occasions telles que:

   a) Les anniversaires ;

   b) Les anniversaires de mariage ;

   c) Les passe-temps favoris (hockey, soccer, etc.). (Envoyez gracieusement des billets ou des articles de revues sur le sujet.) ;

   d) Les objectifs particuliers ou les rêves (envoyez-lui des notes d'encouragement ou des articles de revues sur le sujet).

3. *Téléphoner au client quand il s'y attend le moins*

   Invitez-le à déjeuner ou à aller prendre un verre et informez-vous du produit.

4. *Garder un contact régulier*

   Envoyez-lui les nouvelles brochures de l'entreprise et des renseignements sur les nouvelles technologies que votre entreprise utilise ;

5. *Envoyer des cadeaux de l'entreprise*
   (calendriers ou articles promotionnels).

   Le **top vendeur** sait que si tout va trop bien, le client va complètement l'oublier. En se faisant remarquer et en donnant un excellent service, il fera la différence. Mettre tous ses efforts pour offrir un excellent service créera une base solide pour une relation bonne et durable.

CHAPITRE

La puissance des réseaux

*Une vente peut mener indéfiniment
à d'autres ventes*

Ibrahim Elfiky

Chaque vente que vous concluez et chaque client qui achète votre produit ou votre service sont d'excellentes sources potentielles d'affaires et peuvent créer à l'infini une chaîne de références. Quand le vendeur moyen conclut une vente et que la vente n'entraîne pas d'autres affaires, elle est considérée comme une perte totale et un échec. Le **top vendeur** sait que les clients satisfaits ainsi que les clients potentiels peuvent le mener à la fortune.

POSER LES BONNES QUESTIONS

Après avoir conclu la vente, le vendeur posera au client les bonnes questions pour recruter de nouveaux clients. Sinon, cela ne mènera à rien. Permettez-moi de vous donner l'exemple d'une question qui ne mènera à aucun résultat : « Je ne sais pas si vous connaissez quelqu'un d'autre qui pourrait acheter mon produit ? »

Ce type de question donne un choix au client, et il peut répondre négativement. La réponse sera alors : « Je ne peux pas penser à quelqu'un pour le moment » ou il répondra par un simple « non ». La qualité de la question et la tonalité de la voix va amener votre client à faire l'effort de vous trouver de nouveaux clients potentiels. Voici un exemple : « Monsieur Richard, parmi vos associés d'affaires, vos amis et vos voisins, connaissez-vous quelqu'un qui pourrait bénéficier de mon produit ? »

En posant des questions au client pour avoir des références, utilisez les règles suivantes :

1. Évitez les généralisations ;
2. Ayez des questions précises ;
3. Posez vos questions de façon positive.

Si votre client est d'accord pour vous fournir les noms de nouveaux clients potentiels, utilisez la technique suivante :

1. Remerciez-le ;
2. Demandez-lui s'il peut leur téléphoner pour vous ;
3. Demandez-lui de vous écrire une note à leur intention, s'il n'est pas d'accord pour leur téléphoner ;
4. Demandez-lui si vous pouvez utiliser son nom, s'il n'est pas d'accord pour vous écrire une note.

Les clients satisfaits sont la meilleure source de références. Non seulement ils peuvent vous trouver des clients potentiels, mais ils parleront positivement de votre produit et vous feront une excellente réputation. Avoir des clients satisfaits vous aidera dans votre travail.

SOURCES DE RÉFÉRENCES

Dans la section Comment trouver vos clients potentiels, j'ai mentionné plusieurs sources de références. Les plus importantes sont :

1. Des clients qui ont acheté le produit mais ne l'ont pas utilisé. Ils n'ont pas une idée claire de la qualité

de votre produit, mais ils peuvent vous fournir des noms de clients potentiels.

2. Des clients qui n'achètent pas le produit. La personne qui n'achète pas votre produit, mais qui n'a réellement rien contre ce produit, pourrait être une bonne source de références, à moins de ne pas vous aimer.

3. Des clients satisfaits. Ils sont la meilleure source de références. Ce sont des clients qui ont acheté votre produit et ils en sont satisfaits.

4. Des amis. Les amis sont aussi une excellente source de références.

Bien sûr, il y a d'autres sources de références, comme la compagnie pour laquelle vous travaillez ou d'autres vendeurs qui représentent des produits différents des vôtres. Dans ce chapitre, j'aimerais parler du client qui est d'accord pour acheter votre produit.

LES CLIENTS MULTIPLIENT « LA FORTUNE SANS FIN »

Avez-vous déjà calculé les ventes potentielles apportées par seulement un client qui a acheté votre produit ? Croyez-vous que seulement un client pourra vous apporter plus d'un million de dollars dans une année ? Disons que vous avez conclu une vente, puis que vous avez demandé au client de vous fournir les noms de quatre clients potentiels. Vous les contactez et concluez encore deux ventes ; chacune d'elles va vous fournir encore quatre clients potentiels. Vous concluez quatre ventes et vous continuez au même rythme. Admettons que vous vendez des ordinateurs à 1 500 $ l'unité et que vous recevez une commission de 20 %. Le tableau ci-dessous montre ce que vous pourriez gagner en 10 semaines seulement :

	Vente références	Nombre de conclues	Ventes	Commission ($) (20 %)
Semaine 1	1	4	2	600
Semaine 2	2	8	4	1 200
Semaine 3	4	16	8	2 400
Semaine 4	8	32	16	4 800
Semaine 5	16	64	32	9 600
Semaine 6	32	128	64	19 200
Semaine 7	64	256	128	38 400
Semaine 8	128	512	256	76 800
Semaine 9	256	1 024	512	153 600
Semaine 10	512	2 048	1 024	307 200

Incroyable, n'est-ce pas ? Peut-être pensez-vous que j'exagère. Un client peut littéralement vous faire faire fortune. Imaginez sa valeur ! Tout ce que ça prend, c'est le premier client. Rendez-le heureux et vous serez sur la voie de l'excellence dans la vente.

LE TABLEAU DE LA FORTUNE SANS FIN

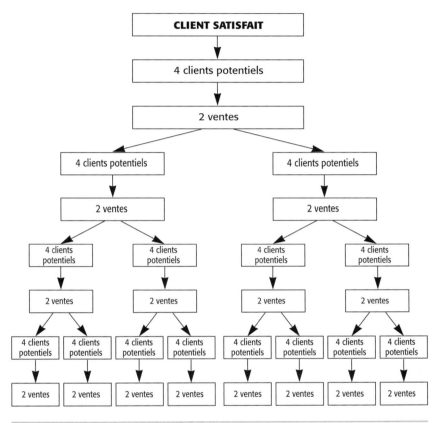

Vous n'avez besoin que d'un client pour vous aider à faire fortune et vous mener à une chaîne infinie de références d'affaires. Des clients satisfaits parleront de vous et de votre produit et travailleront pour vous ! Maintenant que vous connaissez la valeur de chaque client, n'oubliez pas d'utiliser le mot magique : **merci**. Faites sentir au client qu'il est vraiment apprécié, n'oubliez pas d'utiliser la stratégie du **top vendeur** et entretenez la motivation de vos clients. Soyez heureux d'être un nouveau **top vendeur**.

CHAPITRE

Les affirmations du top vendeur

L e **top vendeur** formule une série d'affirmations qui couvrent chaque partie de sa vie et lui donnent l'état d'esprit désiré pour sa réussite et son bonheur.

1. Affirmations d'estime de soi

Je suis une personne spéciale ;

Je maîtrise ma vie ;

Je m'aime sans restrictions ;

J'aime ma vie ;

Chaque jour, mon amour-propre s'améliore ;

Je suis une personne indulgente ;

Je ne blâme pas les autres et je n'ai pas de ressentiments envers eux ;

Je suis capable, fort et sûr de moi.

2. Les cycles de la vie et la réussite

Je maîtrise totalement mes paroles ;

Je suis positif dans mes paroles ;

Je crois en moi et en ma capacité de réussir ;

J'aime les gens et ils aiment me fréquenter ;

Je maîtrise complètement mes émotions ;

J'aime les pouvoirs de mon esprit ;

Mon esprit me donne le pouvoir d'atteindre de grands résultats ;

Je mérite toute la réussite que j'ai ;

J'ai le pouvoir de créer ma réalité ;

Je peux facilement atteindre n'importe quel objectif que je me suis fixé.

3. La santé, l'énergie et la mémoire

Je suis fort et en santé ;

Je prends soin de ma santé et de mon corps ;

Je suis en grande forme ;

Je peux produire toute l'énergie dont j'ai besoin pour réussir ;

Je suis plein d'énergie ;

Je peux me rappeler tout ce que je veux ;

Je peux facilement me rappeler les noms des gens et leurs numéros de téléphone.

4. Le stress

Je peux facilement diminuer le stress dans ma vie ;

Je suis à l'aise et je me sens bien ;

Je peux être calme quand je le veux ;

Je peux relâcher toute tension ;

J'ai la paix totale de l'esprit.

5. L'art de vendre

Je suis le **top vendeur** ;

Je suis très organisé ;

J'aime vendre ;

Je peux facilement communiquer et établir une relation avec n'importe qui ;

J'aime aider les gens ;

Je peux venir à bout de toute objection ;

Je suis le meilleur pour conclure des ventes ;

J'écoute les autres ;

Mes présentations de vente sont toujours professionnelles et efficaces ;

Je suis sincère et honnête ;

Un « non » ne me dérange jamais ; cela renforce ma détermination ;

Je mérite de faire les ventes que je crée ;

Je mérite mes profits.

6. Le pouvoir de Dieu

Je remercie Dieu de tout ce que j'ai ;

Mon amour de Dieu me permet de m'aimer et d'aimer les autres ;

Je suis reconnaissant d'être un **top vendeur**.

Répétez ces affirmations. Elles feront des miracles dans votre vie comme elles l'ont fait dans la mienne.

CHAPITRE

La fin du voyage

près vous avoir montré comment vous motiver, comment améliorer votre mémoire, comment utiliser la programmation neurolinguistique et les nouvelles techniques de psychologie, nous sommes arrivés à la fin du voyage. Maintenant, c'est à vous d'agir.

Dans ce livre, j'ai partagé avec vous quelque chose qui m'a demandé 20 ans de travail, de recherche et d'études. J'ai mis trois ans à écrire ce livre sous une forme claire et simple afin que vous le lisiez aujourd'hui.

Vous possédez maintenant toutes les connaissances pour devenir un **top vendeur**. Si vous lisez ce livre et le trouvez utile mais ne mettez en pratique aucune des techniques, vous avez perdu votre temps, mais si vous le faites, vous atteindrez des résultats remarquables.

Laissez-moi vous raconter une histoire. Il était une fois un éléphant d'Afrique qui avait été emmené dans le jardin zoologique d'une grande ville. Le jardin zoologique était en construction et l'enclos de l'éléphant n'était pas prêt ; aussi, on le stationna sur un terrain d'environ 300 pieds carrés. L'éléphant se mit à avancer et à reculer sur 300 pieds carrés. L'échéance de la construction fut retardée et l'éléphant resta dans cet espace pendant trois mois. Puis, on le plaça sur un nouveau terrain de 1 500 pieds carrés. Devinez ce qu'il a fait ? Il continua à avancer et à reculer sur 300 pieds carrés. L'éléphant était pris dans ses vieilles habitudes et ne voyait pas qu'il avait d'autres possibilités. Voyez-vous vos nouvelles possibilités ?

Mon message principal, c'est : agissez et devenez « fonceur ». Certains vendeurs ont les connaissances et l'énergie, mais ils n'agissent pas. Savez-vous comment on les appelle ? Des idiots dynamiques ! Si vous avez les connaissances, mais que vous continuez à faire ce que vous avez toujours fait, vous aurez ce que vous avez toujours eu. Vous avez le pouvoir de décider. Décidez d'agir maintenant ! Vous seul le pouvez. Vous pouvez faire de vos rêves une réalité et créer même de plus grands rêves. Vous pouvez atteindre vos objectifs et vous en fixer de plus grands. Rien n'arrive par hasard, nous récoltons ce que nous avons semé. La réussite est quelque chose qui demande un dur travail et un engagement.

Commencez maintenant. Lisez ce livre et relisez-le, puis mettez en pratique toutes les techniques jusqu'à ce qu'elles fassent partie de vous et que vous deveniez une partie d'elles. Apprenez-les et ayez du plaisir en le faisant.

Rappelez-vous que n'importe quelle personne peut construire une maison mais cela prend un **top vendeur** pour la vendre. Soyez ce **top vendeur**. Aimez rencontrer les gens, les aider, répondre à leurs besoins. Continuez de vendre et continuez de sourire. Essayez maintenant, vous serez heureux de l'avoir fait. Vous serez sur la voie de l'excellence dans la vente.

Dans l'intervalle, je vous remercie sincèrement pour m'avoir permis de partager mes expériences avec vous. Je vous souhaite toute la réussite que votre cœur désire. J'espère que vous allez vivre vos rêves et atteindre vos objectifs. Ayez du plaisir à vendre. Bonne chance et que Dieu vous bénisse.

Imprimé au Canada

**Imprimeries
Transcontinental inc.**
DIVISION MÉTROLITHO